6

학년이 꼭 ✔ 알아야 할

KB118826

사고력 연산

저자

왕수학연구소장 **박명전**

- 기초 연산 능력 증진
- 사고를 통한 연산 능력 증진
- 사고력과 연산 능력 향상의 이중 효과

1+2=3
5-3=☐
4×2=☐

www.왕수학.com

6학년이 꼭 ✓ 알아야 한 사고력연산

사고력연산 구성

◎ 1~2학년은 각각 1권씩, 3~6학년은 각각 2권씩으로 구성되어 있습니다.

◎ **개념** 연산의 기초개념과 원리를 다루었습니다.

◎ (사고력 기르기) **Step 1** 약간의 사고를 필요로 하는 연산 문제를 다루었습니다.

◎ (사고력 기르기) **Step 2** 좀 더 발전적인 사고를 필요로 하는 연산 문제를 다루었습니다.

◎ (실력 점검) 한 단원을 마무리하는 문제를 다루었습니다.

사고력연산 특징

◎ 연산의 원리를 알고 계산할 수 있도록 구성하였습니다.

◎ 기초 연산 능력을 충분히 키울 수 있도록 구성하였습니다.

◎ 연산 능력과 사고력 향상이 동시에 이루어질 수 있는 문제를 다루었습니다.

◎ 사고를 통해 연산을 하는 과정에서 연산 능력이 저절로 향상될 수 있도록 구성하였습니다.

차례

Contents

01. 분모가 같은 (진분수)÷(진분수) 알아보기 ··················· 4

02. 분모가 다른 (진분수)÷(진분수) 알아보기 ··················· 12

03. (자연수)÷(분수) 알아보기 ················· 20

04. (대분수)÷(진분수), (대분수)÷(대분수) 알아보기 ······· 28

05. (소수 한 자리 수)÷(소수 한 자리 수) 알아보기 ·········· 36

06. (소수 두 자리 수)÷(소수 두 자리 수) 알아보기 ·········· 44

07. 자릿수가 다른 소수의 나눗셈 알아보기 ··················· 52

08. (자연수)÷(소수) 알아보기 ················· 60

09. 몫을 반올림하여 나타내기, 몫과 나머지 구하기·········· **68**

10. 간단한 자연수의 비로 나타내기················· **76**

11. 비례식 알아보기 ···························· **84**

12. 비례배분 알아보기 ·························· **92**

13. 원주 구하기 ······························· **100**

14. 원의 넓이 구하기 ·························· **108**

정답 및 해설·································· **117**

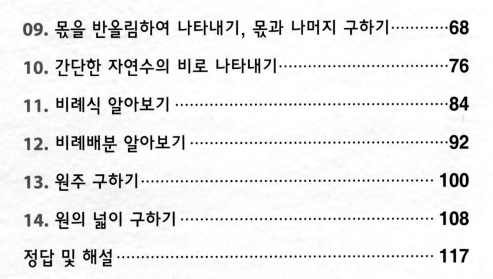

사고력연산

6학년

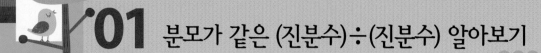

01 분모가 같은 (진분수)÷(진분수) 알아보기

개념

분모가 같은 진분수끼리의 나눗셈은 분자끼리의 나눗셈으로 계산합니다.

㉠ $\dfrac{6}{7} \div \dfrac{2}{7}$ 의 계산

$\dfrac{6}{7}$ 은 $\dfrac{1}{7}$ 이 6개, $\dfrac{2}{7}$ 는 $\dfrac{1}{7}$ 이 2개인 수이므로 $\dfrac{6}{7} \div \dfrac{2}{7}$ 는 6÷2로 바꾸어

계산할 수 있습니다. ➡ $\dfrac{6}{7} \div \dfrac{2}{7} = 6 \div 2 = 3$

㉠ $\dfrac{7}{9} \div \dfrac{4}{9}$ 의 계산

$\dfrac{7}{9}$ 은 $\dfrac{1}{9}$ 이 7개, $\dfrac{4}{9}$ 는 $\dfrac{1}{9}$ 이 4개인 수이므로 $\dfrac{7}{9} \div \dfrac{4}{9}$ 는 7÷4로 바꾸어

계산할 수 있습니다. ➡ $\dfrac{7}{9} \div \dfrac{4}{9} = 7 \div 4 = \dfrac{7}{4} = 1\dfrac{3}{4}$

 □ 안에 알맞은 수를 써넣으시오. (01~03)

01 $\dfrac{4}{5}$ 는 $\dfrac{1}{5}$ 이 □개이고 $\dfrac{2}{5}$ 는 $\dfrac{1}{5}$ 이 □개이므로

$\dfrac{4}{5} \div \dfrac{2}{5} = □ \div □ = □$ 입니다.

02 $\dfrac{3}{10}$ 은 $\dfrac{1}{10}$ 이 □개이고 $\dfrac{7}{10}$ 은 $\dfrac{1}{10}$ 이 □개이므로

$\dfrac{3}{10} \div \dfrac{7}{10} = □ \div □ = \dfrac{□}{□}$ 입니다.

03 $\dfrac{5}{8}$ 는 $\dfrac{1}{8}$ 이 □개이고 $\dfrac{3}{8}$ 은 $\dfrac{1}{8}$ 이 □개이므로

$\dfrac{5}{8} \div \dfrac{3}{8} = □ \div □ = \dfrac{□}{□} = □\dfrac{□}{□}$ 입니다.

□ 안에 알맞은 수를 써넣으시오. (04~09)

04 $\dfrac{8}{11} \div \dfrac{2}{11} = \square \div \square = \square$

05 $\dfrac{12}{13} \div \dfrac{4}{13} = \square \div \square = \square$

06 $\dfrac{5}{8} \div \dfrac{7}{8} = \square \div \square = \dfrac{\square}{\square}$

07 $\dfrac{8}{15} \div \dfrac{11}{15} = \square \div \square = \dfrac{\square}{\square}$

08 $\dfrac{8}{9} \div \dfrac{5}{9} = \square \div \square = \dfrac{\square}{\square} = \square \dfrac{\square}{\square}$

09 $\dfrac{13}{17} \div \dfrac{6}{17} = \square \div \square = \dfrac{\square}{\square} = \square \dfrac{\square}{\square}$

 계산을 하시오. (10~19)

10 $\dfrac{9}{10} \div \dfrac{3}{10}$

11 $\dfrac{6}{11} \div \dfrac{3}{11}$

12 $\dfrac{15}{16} \div \dfrac{5}{16}$

13 $\dfrac{18}{25} \div \dfrac{2}{25}$

14 $\dfrac{4}{13} \div \dfrac{7}{13}$

15 $\dfrac{8}{15} \div \dfrac{13}{15}$

16 $\dfrac{15}{17} \div \dfrac{4}{17}$

17 $\dfrac{11}{13} \div \dfrac{7}{13}$

18 $\dfrac{17}{20} \div \dfrac{11}{20}$

19 $\dfrac{20}{23} \div \dfrac{9}{23}$

 ## 사고력 기르기

 **Step 1**

□ 안에 알맞은 수를 써넣으시오. (01~08)

01 $\dfrac{4}{5} \div \dfrac{\Box}{5} = 2$

02 $\dfrac{\Box}{9} \div \dfrac{2}{9} = 4$

03 $\dfrac{2}{7} \div \dfrac{\Box}{7} = \dfrac{2}{5}$

04 $\dfrac{\Box}{10} \div \dfrac{7}{10} = \dfrac{3}{7}$

05 $\dfrac{7}{12} \div \dfrac{\Box}{12} = \dfrac{7}{11}$

06 $\dfrac{\Box}{14} \div \dfrac{11}{14} = \dfrac{9}{11}$

07 $\dfrac{9}{11} \div \dfrac{\Box}{11} = 2\dfrac{1}{4}$

08 $\dfrac{\Box}{15} \div \dfrac{2}{15} = 6\dfrac{1}{2}$

 주어진 두 식이 성립할 때 ■와 ▲에 알맞은 자연수를 각각 구하시오. (09~11)

09 $\dfrac{\blacksquare}{5} \div \dfrac{3}{5} = \dfrac{2}{3}$ $\dfrac{\blacktriangle}{11} \div \dfrac{\blacksquare}{11} = 4\dfrac{1}{2}$

 ■ = □   ▲ = □

10 $\dfrac{\blacksquare}{8} \div \dfrac{7}{8} = \dfrac{5}{7}$ $\dfrac{\blacktriangle}{14} \div \dfrac{\blacksquare}{14} = 2\dfrac{3}{5}$

 ■ = □   ▲ = □

11 $\dfrac{4}{11} \div \dfrac{\blacksquare}{11} = \dfrac{4}{9}$ $\dfrac{\blacksquare}{17} \div \dfrac{\blacktriangle}{17} = 2\dfrac{1}{4}$

■ = □   ▲ = □

다음 조건을 만족하는 분수의 나눗셈을 모두 만들어 보시오. (12~13)

12   **조건**

- 8÷5를 이용하여 계산할 수 있습니다.
- 분모가 12보다 작은 진분수의 나눗셈입니다.
- 두 분수의 분모는 같습니다.

$$\frac{\square}{\square} \div \frac{\square}{\square}, \quad \frac{\square}{\square} \div \frac{\square}{\square}, \quad \frac{\square}{\square} \div \frac{\square}{\square}$$

13   **조건**

- 9÷11을 이용하여 계산할 수 있습니다.
- 분모가 15보다 작은 진분수의 나눗셈입니다.
- 두 분수의 분모는 같습니다.

$$\frac{\square}{\square} \div \frac{\square}{\square}, \quad \frac{\square}{\square} \div \frac{\square}{\square}, \quad \frac{\square}{\square} \div \frac{\square}{\square}$$

 진분수끼리의 나눗셈식이 성립할 때 ▨가 될 수 있는 자연수를 모두 구하시오. (14~17)

14

$$\frac{8}{9} \div \frac{\blacksquare}{9} = (자연수)$$

(   )

15

$$\frac{16}{17} \div \frac{\blacksquare}{17} = (자연수)$$

(   )

16

$$\frac{\blacksquare}{16} \div \frac{3}{16} = (자연수)$$

(   )

17

$$\frac{\blacksquare}{21} \div \frac{4}{21} = (자연수)$$

(   )

 주어진 식이 성립할 때 가 될 수 있는 자연수를 모두 구하시오. (단, 주어진 분수는 모두 진분수입니다.) (01~06)

01

$$\frac{8}{9} \div \frac{\blacksquare}{9} > 2$$

(   )

02

$$\frac{10}{13} \div \frac{\blacksquare}{13} < 1$$

(   )

03

$$\frac{11}{15} \div \frac{\blacksquare}{15} > 2\frac{1}{5}$$

(   )

04

$$\frac{8}{11} \div \frac{\blacksquare}{11} < 1\frac{1}{3}$$

(   )

05

$$\frac{\blacksquare}{17} \div \frac{6}{17} > 2\frac{1}{3}$$

(   )

06

$$\frac{\blacksquare}{23} \div \frac{15}{23} < \frac{1}{3}$$

(   )

 주어진 식이 성립할 때 ■와 ▲에 알맞은 자연수를 각각 구하시오. (07~08)

07

$$\frac{2}{9} \div \frac{\blacksquare}{9} = \frac{\blacktriangle}{10} \div \frac{3}{10} = \frac{6}{11} \div \frac{9}{11}$$

■ = ☐   ▲ = ☐

08

$$\frac{5}{8} \div \frac{\blacksquare}{8} = \frac{20}{27} \div \frac{\blacktriangle}{27} = \frac{15}{19} \div \frac{9}{19}$$

■ = ☐   ▲ = ☐

진분수끼리의 나눗셈식입니다. 식을 성립시키는 여러 가지 경우를 만들어 보시오.

(단, ■ > ▲ > ● > 1 입니다.) (09~11)

09

$$\frac{■}{10} \div \frac{▲}{10} \div \frac{●}{10} = (자연수)$$

$$\frac{\square}{10} \div \frac{\square}{10} \div \frac{\square}{10} = \square \qquad \frac{\square}{10} \div \frac{\square}{10} \div \frac{\square}{10} = \square$$

10

$$\frac{■}{12} \div \frac{▲}{12} \div \frac{●}{12} = (자연수)$$

$$\frac{\square}{12} \div \frac{\square}{12} \div \frac{\square}{12} = \square \qquad \frac{\square}{12} \div \frac{\square}{12} \div \frac{\square}{12} = \square$$

$$\frac{\square}{12} \div \frac{\square}{12} \div \frac{\square}{12} = \square$$

11

$$\frac{■}{13} \div \frac{▲}{13} \div \frac{●}{13} = (자연수)$$

$$\frac{\square}{13} \div \frac{\square}{13} \div \frac{\square}{13} = \square \qquad \frac{\square}{13} \div \frac{\square}{13} \div \frac{\square}{13} = \square$$

$$\frac{\square}{13} \div \frac{\square}{13} \div \frac{\square}{13} = \square \qquad \frac{\square}{13} \div \frac{\square}{13} \div \frac{\square}{13} = \square$$

$$\frac{\square}{13} \div \frac{\square}{13} \div \frac{\square}{13} = \square \qquad \frac{\square}{13} \div \frac{\square}{13} \div \frac{\square}{13} = \square$$

 □ 안에 알맞은 수를 써넣으시오. (01~04)

01 $\dfrac{9}{10}$ 는 $\dfrac{1}{10}$ 이 $\square$ 개이고 $\dfrac{3}{10}$ 은 $\dfrac{1}{10}$ 이 $\square$ 개이므로

$\dfrac{9}{10} \div \dfrac{3}{10} = \square \div \square = \square$ 입니다.

02 $\dfrac{7}{9}$ 은 $\dfrac{1}{9}$ 이 $\square$ 개이고 $\dfrac{2}{9}$ 는 $\dfrac{1}{9}$ 이 $\square$ 개이므로

$\dfrac{7}{9} \div \dfrac{2}{9} = \square \div \square = \dfrac{\square}{\square} = \square \dfrac{\square}{\square}$ 입니다.

03 $\dfrac{15}{17} \div \dfrac{5}{17} = \square \div \square = \square$

04 $\dfrac{7}{19} \div \dfrac{17}{19} = \square \div \square = \dfrac{\square}{\square}$

 계산을 하시오. (05~14)

05 $\dfrac{4}{8} \div \dfrac{1}{8}$

06 $\dfrac{18}{19} \div \dfrac{3}{19}$

07 $\dfrac{3}{10} \div \dfrac{7}{10}$

08 $\dfrac{4}{11} \div \dfrac{9}{11}$

09 $\dfrac{11}{15} \div \dfrac{14}{15}$

10 $\dfrac{5}{16} \div \dfrac{11}{16}$

11 $\dfrac{14}{15} \div \dfrac{4}{15}$

12 $\dfrac{11}{18} \div \dfrac{5}{18}$

13 $\dfrac{17}{20} \div \dfrac{11}{20}$

14 $\dfrac{24}{25} \div \dfrac{7}{25}$

 주어진 두 식이 성립할 때 ■와 ▲에 알맞은 자연수를 각각 구하시오. (15~16)

15

$$\frac{■}{7} \div \frac{6}{7} = \frac{2}{3}, \quad \frac{▲}{15} \div \frac{■}{15} = 3\frac{1}{2}$$

■ = ☐   ▲ = ☐

16

$$\frac{14}{15} \div \frac{■}{15} = 1\frac{3}{4}, \quad \frac{■}{13} \div \frac{▲}{13} = \frac{4}{5}$$

■ = ☐   ▲ = ☐

 진분수끼리의 나눗셈식이 성립할 때 ■가 될 수 있는 자연수를 모두 구하시오. (17~18)

17

$$\frac{14}{15} \div \frac{■}{15} = (자연수)$$

(   )

18

$$\frac{■}{17} \div \frac{5}{17} = (자연수)$$

(   )

 주어진 식이 성립할 때 ■와 ▲에 알맞은 자연수를 각각 구하시오. (19~20)

19

$$\frac{3}{8} \div \frac{■}{8} = \frac{▲}{30} \div \frac{21}{30} = \frac{6}{15} \div \frac{14}{15}$$

■ = ☐   ▲ = ☐

20

$$\frac{■}{11} \div \frac{4}{11} = \frac{12}{13} \div \frac{8}{13} = \frac{3}{7} \div \frac{▲}{7}$$

■ = ☐   ▲ = ☐

개념

· $\dfrac{4}{5} \div \dfrac{2}{3}$ 의 계산

방법 ❶ 두 분수를 통분한 후 분자끼리 나누어 계산합니다.

$$\frac{4}{5} \div \frac{2}{3} = \frac{12}{15} \div \frac{10}{15} = 12 \div 10 = \frac{\overset{6}{\cancel{12}}}{\underset{5}{\cancel{10}}} = \frac{6}{5} = 1\frac{1}{5}$$

방법 ❷ 나누는 수의 분모와 분자를 바꾸어 분수의 곱셈으로 계산합니다.

$$\frac{4}{5} \div \frac{2}{3} = \frac{\overset{2}{\cancel{4}}}{5} \times \frac{3}{\underset{1}{\cancel{2}}} = \frac{6}{5} = 1\frac{1}{5}$$

 그림을 보고 ☐ 안에 알맞은 수를 써넣으시오. (01~02)

01

$\dfrac{1}{4}$

0　　　　　$\dfrac{1}{2}$　　　　1

$\dfrac{1}{2} \div \dfrac{1}{4} = \boxed{}$

02

$\dfrac{1}{6}$

0　　$\dfrac{1}{3}$　　$\dfrac{2}{3}$　　1

$\dfrac{2}{3} \div \dfrac{1}{6} = \boxed{}$

 ☐ 안에 알맞은 수를 써넣으시오. (03~04)

03 $\dfrac{4}{7} \div \dfrac{5}{6} = \dfrac{\boxed{}}{42} \div \dfrac{\boxed{}}{42} = \boxed{} \div \boxed{} = \dfrac{\boxed{}}{\boxed{}}$

04 $\dfrac{4}{5} \div \dfrac{3}{4} = \dfrac{\boxed{}}{20} \div \dfrac{\boxed{}}{20} = \boxed{} \div \boxed{} = \dfrac{\boxed{}}{\boxed{}} = \boxed{}\dfrac{\boxed{}}{\boxed{}}$

☐ 안에 알맞은 수를 써넣으시오. (05~08)

05 $\dfrac{3}{5} \div \dfrac{2}{3} = \dfrac{3}{5} \times \dfrac{\square}{2} = \dfrac{\square}{\square}$

06 $\dfrac{2}{7} \div \dfrac{3}{5} = \dfrac{2}{7} \times \dfrac{\square}{3} = \dfrac{\square}{\square}$

07 $\dfrac{3}{4} \div \dfrac{2}{9} = \dfrac{3}{4} \times \dfrac{\square}{2} = \dfrac{\square}{\square} = \square\dfrac{\square}{\square}$

08 $\dfrac{3}{5} \div \dfrac{4}{13} = \dfrac{3}{5} \times \dfrac{\square}{4} = \dfrac{\square}{\square} = \square\dfrac{\square}{\square}$

 계산을 하시오. (09~18)

09 $\dfrac{3}{7} \div \dfrac{2}{5}$

10 $\dfrac{3}{4} \div \dfrac{4}{5}$

11 $\dfrac{1}{3} \div \dfrac{4}{5}$

12 $\dfrac{9}{10} \div \dfrac{3}{4}$

13 $\dfrac{5}{14} \div \dfrac{5}{9}$

14 $\dfrac{2}{3} \div \dfrac{5}{6}$

15 $\dfrac{2}{5} \div \dfrac{5}{8}$

16 $\dfrac{7}{8} \div \dfrac{4}{9}$

17 $\dfrac{5}{8} \div \dfrac{3}{7}$

18 $\dfrac{21}{40} \div \dfrac{7}{10}$

 □ 안에 알맞은 수를 써넣으시오. (01~06)

01　$\dfrac{\square}{5} \div \dfrac{4}{7} = \dfrac{7}{10}$

02　$\dfrac{9}{20} \div \dfrac{\square}{4} = \dfrac{3}{5}$

03　$\dfrac{\square}{12} \div \dfrac{5}{6} = \dfrac{1}{2}$

04　$\dfrac{7}{15} \div \dfrac{\square}{5} = \dfrac{7}{12}$

05　$\dfrac{\square}{9} \div \dfrac{3}{4} = 1\dfrac{5}{27}$

06　$\dfrac{5}{8} \div \dfrac{\square}{9} = 2\dfrac{13}{16}$

 5장의 수 카드 중 2장을 뽑아 진분수를 만들려고 합니다. 만들 수 있는 가장 큰 진분수를 가장 작은 진분수로 나눈 몫은 얼마인지 구하시오. (07~09)

07　　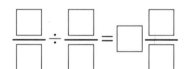

08　　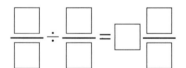

09　　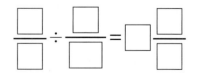

다음과 같은 규칙으로 분수를 늘어놓았습니다. 15번째 분수는 18번째 분수의 몇 배인지 구하시오. (10~11)

10

$$\frac{1}{4}, \ \frac{2}{6}, \ \frac{3}{8}, \ \frac{4}{10}, \ \frac{5}{12}, \ \cdots$$

(   )

11

$$\frac{6}{7}, \ \frac{8}{14}, \ \frac{10}{21}, \ \frac{12}{28}, \ \frac{14}{35}, \ \cdots$$

(   )

 다음은 (진분수)÷(진분수)의 계산입니다. 주어진 식을 성립시키는 여러 가지 식을 만들어 보시오. (단, ■<▲<20입니다.) (12~13)

12

$$\frac{5}{\blacksquare} \div \frac{5}{\blacktriangle} = (자연수)$$

$$\frac{5}{\square} \div \frac{5}{\square} = \square \qquad \frac{5}{\square} \div \frac{5}{\square} = \square \qquad \frac{5}{\square} \div \frac{5}{\square} = \square$$

$$\frac{5}{\square} \div \frac{5}{\square} = \square \qquad \frac{5}{\square} \div \frac{5}{\square} = \square$$

13

$$\frac{3}{\blacksquare} \div \frac{6}{\blacktriangle} = (자연수) \qquad \qquad \frac{3}{\square} \div \frac{6}{\square} = \square$$

$$\frac{3}{\square} \div \frac{6}{\square} = \square \qquad \frac{3}{\square} \div \frac{6}{\square} = \square \qquad \frac{3}{\square} \div \frac{6}{\square} = \square$$

$$\frac{3}{\square} \div \frac{6}{\square} = \square \qquad \frac{3}{\square} \div \frac{6}{\square} = \square \qquad \frac{3}{\square} \div \frac{6}{\square} = \square$$

다음 나눗셈의 몫은 자연수입니다. ▦ 안에 들어갈 수 있는 수는 모두 몇 개인지 구하시오.
(01~04)

01
$$\frac{1}{3} \div \frac{▦}{24}$$
(   )

02
$$\frac{1}{7} \div \frac{▦}{63}$$
(   )

03
$$\frac{3}{4} \div \frac{▦}{20}$$
(   )

04
$$\frac{4}{5} \div \frac{▦}{25}$$
(   )

다음은 (진분수)÷(진분수)의 계산입니다. 주어진 식을 성립시키는 여러 가지 식을 만들어 보시오. (05~06)

05
$$\frac{▦}{4} \div \frac{▲}{6} = (단위분수)$$
$$\frac{\Box}{4} \div \frac{\Box}{6} = \frac{1}{\Box}$$

06
$$\frac{▦}{18} \div \frac{▲}{15} = (단위분수)$$

$$\frac{\Box}{18} \div \frac{\Box}{15} = \frac{1}{\Box}$$ $$\frac{\Box}{18} \div \frac{\Box}{15} = \frac{1}{\Box}$$

$$\frac{\Box}{18} \div \frac{\Box}{15} = \frac{1}{\Box}$$ $$\frac{\Box}{18} \div \frac{\Box}{15} = \frac{1}{\Box}$$ $$\frac{\Box}{18} \div \frac{\Box}{15} = \frac{1}{\Box}$$

$$\frac{\Box}{18} \div \frac{\Box}{15} = \frac{1}{\Box}$$ $$\frac{\Box}{18} \div \frac{\Box}{15} = \frac{1}{\Box}$$ $$\frac{\Box}{18} \div \frac{\Box}{15} = \frac{1}{\Box}$$

주어진 **4**장의 숫자 카드를 모두 사용하여 (진분수)÷(진분수)를 만들려고 합니다. 계산 결과가 가장 큰 식과 가장 작은 식을 각각 만들어 계산해 보시오. (07~09)

07

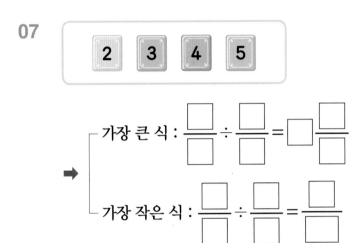

08

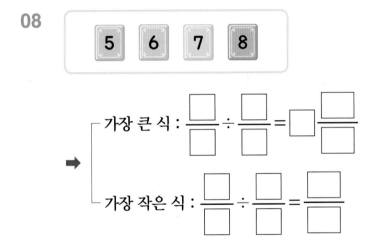

09

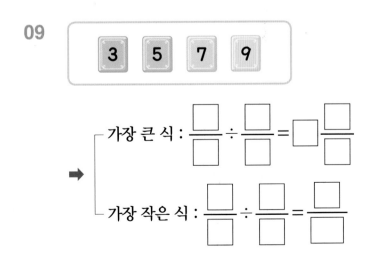

 □ 안에 알맞은 수를 써넣으시오. (01~04)

01 $\dfrac{3}{7} \div \dfrac{4}{5} = \dfrac{\boxed{}}{35} \div \dfrac{\boxed{}}{35} = \dfrac{\boxed{}}{\boxed{}}$

02 $\dfrac{2}{3} \div \dfrac{1}{4} = \dfrac{\boxed{}}{12} \div \dfrac{\boxed{}}{12} = \dfrac{\boxed{}}{\boxed{}} = \boxed{}\dfrac{\boxed{}}{\boxed{}}$

03 $\dfrac{5}{8} \div \dfrac{2}{3} = \dfrac{5}{8} \times \dfrac{\boxed{}}{2} = \dfrac{\boxed{}}{\boxed{}}$

04 $\dfrac{3}{4} \div \dfrac{5}{7} = \dfrac{3}{4} \times \dfrac{\boxed{}}{5} = \dfrac{\boxed{}}{\boxed{}} = \boxed{}\dfrac{\boxed{}}{\boxed{}}$

 계산을 하시오. (05~14)

05 $\dfrac{2}{3} \div \dfrac{1}{5}$

06 $\dfrac{3}{4} \div \dfrac{1}{2}$

07 $\dfrac{7}{8} \div \dfrac{3}{4}$

08 $\dfrac{9}{10} \div \dfrac{3}{5}$

09 $\dfrac{2}{5} \div \dfrac{7}{10}$

10 $\dfrac{5}{6} \div \dfrac{3}{8}$

11 $\dfrac{7}{12} \div \dfrac{8}{15}$

12 $\dfrac{9}{11} \div \dfrac{3}{4}$

13 $\dfrac{15}{16} \div \dfrac{7}{10}$

14 $\dfrac{17}{20} \div \dfrac{8}{15}$

 □ 안에 알맞은 수를 써넣으시오. (15~16)

15 $\dfrac{4}{9} \div \dfrac{\square}{6} = \dfrac{8}{15}$

16 $\dfrac{\square}{8} \div \dfrac{4}{5} = 1\dfrac{3}{32}$

17 5장의 숫자 카드 중 2장을 뽑아 진분수를 만들려고 합니다. 만들 수 있는 가장 큰 진분수를 가장 작은 진분수로 나눈 몫은 얼마인지 구하시오.

 2 4 5 6 8

$\dfrac{\square}{\square} \div \dfrac{\square}{\square} = \square\dfrac{\square}{\square}$

18 다음과 같은 규칙으로 분수를 늘어놓았습니다. 17번째 분수는 19번째 분수의 몇 배인지 구하시오.

$$\dfrac{4}{5},\ \dfrac{6}{10},\ \dfrac{8}{15},\ \dfrac{10}{20},\ \dfrac{12}{25},\ \cdots$$

(   )

 다음 나눗셈의 몫은 자연수입니다. ■ 안에 들어갈 수 있는 수는 모두 몇 개인지 구하시오.

(19~20)

19 $\dfrac{5}{6} \div \dfrac{\blacksquare}{42}$

(   )

20 $\dfrac{3}{8} \div \dfrac{\blacksquare}{48}$

(   )

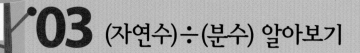

03 (자연수)÷(분수) 알아보기

개념

- $4 \div \dfrac{2}{5}$ 의 계산

  방법❶ $4 \div \dfrac{2}{5} = (4 \div 2) \times 5 = 2 \times 5 = 10$

  방법❷ $4 \div \dfrac{2}{5} = 4 \times \dfrac{5}{2} = \dfrac{20}{2} = 10$

- $4 \div 1\dfrac{2}{5}$ 의 계산

  방법❶ $4 \div 1\dfrac{2}{5} = 4 \div \dfrac{7}{5} = \dfrac{20}{5} \div \dfrac{7}{5} = \dfrac{20}{7} = 2\dfrac{6}{7}$

  방법❷ $4 \div 1\dfrac{2}{5} = 4 \div \dfrac{7}{5} = 4 \times \dfrac{5}{7} = \dfrac{20}{7} = 2\dfrac{6}{7}$

 □ 안에 알맞은 수를 써넣으시오. (01~05)

01 $8 \div \dfrac{2}{3} = (8 \div \boxed{}) \times \boxed{} = \boxed{}$

02 $9 \div \dfrac{3}{4} = (9 \div \boxed{}) \times \boxed{} = \boxed{}$

03 $7 \div \dfrac{4}{5} = 7 \times \dfrac{\boxed{}}{4} = \dfrac{\boxed{}}{4} = \boxed{}\dfrac{\boxed{}}{4}$

04 $9 \div \dfrac{5}{7} = 9 \times \dfrac{\boxed{}}{5} = \dfrac{\boxed{}}{5} = \boxed{}\dfrac{\boxed{}}{5}$

05 $13 \div \dfrac{5}{6} = 13 \times \dfrac{\boxed{}}{5} = \dfrac{\boxed{}}{5} = \boxed{}\dfrac{\boxed{}}{5}$

□ 안에 알맞은 수를 써넣으시오. (06~08)

06 $2 \div 1\dfrac{1}{2} = 2 \div \dfrac{\boxed{}}{2} = 2 \times \dfrac{2}{\boxed{}} = \dfrac{\boxed{}}{\boxed{}} = \boxed{}\dfrac{\boxed{}}{\boxed{}}$

07 $5 \div 3\dfrac{2}{3} = 5 \div \dfrac{\boxed{}}{3} = 5 \times \dfrac{3}{\boxed{}} = \dfrac{\boxed{}}{\boxed{}} = \boxed{}\dfrac{\boxed{}}{\boxed{}}$

08 $7 \div 2\dfrac{1}{4} = 7 \div \dfrac{\boxed{}}{4} = 7 \times \dfrac{4}{\boxed{}} = \dfrac{\boxed{}}{\boxed{}} = \boxed{}\dfrac{\boxed{}}{\boxed{}}$

 계산을 하시오. (09~18)

09 $4 \div \dfrac{2}{7}$

10 $14 \div \dfrac{7}{8}$

11 $5 \div \dfrac{3}{4}$

12 $8 \div \dfrac{3}{4}$

13 $11 \div \dfrac{3}{7}$

14 $15 \div \dfrac{6}{13}$

15 $3 \div 1\dfrac{1}{2}$

16 $5 \div 3\dfrac{1}{3}$

17 $6 \div 2\dfrac{4}{5}$

18 $14 \div 7\dfrac{3}{7}$

☐ 안에 알맞은 수를 써넣으시오. (01~08)

01 $\square \div \dfrac{3}{4} = 2\dfrac{2}{3}$

02 $4 \div \dfrac{\square}{6} = 4\dfrac{4}{5}$

03 $\square \div \dfrac{2}{7} = 17\dfrac{1}{2}$

04 $6 \div \dfrac{\square}{9} = 13\dfrac{1}{2}$

05 $\square \div 1\dfrac{4}{5} = 4\dfrac{4}{9}$

06 $10 \div 5\dfrac{\square}{3} = 1\dfrac{13}{17}$

07 $\square \div 5\dfrac{4}{7} = 1\dfrac{8}{13}$

08 $12 \div 6\dfrac{\square}{8} = 1\dfrac{15}{17}$

계산 결과가 자연수인 것을 찾아 기호를 쓰시오. (09~11)

09

㉠ $7 \div \dfrac{2}{7}$ ㉡ $10 \div \dfrac{5}{11}$ ㉢ $5 \div \dfrac{8}{9}$ ㉣ $15 \div \dfrac{16}{17}$

( )

10

㉠ $14 \div \dfrac{11}{14}$ ㉡ $9 \div \dfrac{18}{19}$ ㉢ $18 \div \dfrac{6}{7}$ ㉣ $15 \div \dfrac{10}{19}$

( )

11

㉠ $22 \div \dfrac{7}{11}$ ㉡ $19 \div \dfrac{11}{20}$ ㉢ $40 \div \dfrac{15}{17}$ ㉣ $20 \div \dfrac{10}{27}$

( )

■ 안에 들어갈 수 있는 자연수를 모두 구하시오. (12~13)

12
$$4 \div \frac{2}{3} < \blacksquare < 3 \div \frac{1}{3}$$

(   )

13
$$6 \div \frac{3}{5} < \blacksquare < 8 \div \frac{4}{7}$$

(   )

 ▲ 안에 들어갈 수 있는 자연수 중 가장 큰 수를 구하시오. (14~17)

14
$$7 \div \frac{1}{\triangle} < 30 \div \frac{5}{8}$$

(   )

15
$$6 \div \frac{1}{\triangle} < 40 \div 1\frac{1}{9}$$

(   )

16
$$8 \div \frac{2}{\triangle} < 12 \div \frac{3}{5}$$

(   )

17
$$18 \div \frac{3}{\triangle} < 60 \div 2\frac{1}{7}$$

(   )

 ☆ 안에 들어갈 수 있는 자연수 중 가장 작은 수를 구하시오. (18~21)

18
$$2 \div \frac{1}{\bigstar} > 4 \div \frac{2}{5}$$

(   )

19
$$3 \div \frac{1}{\bigstar} > 24 \div 2\frac{2}{5}$$

(   )

20
$$8 \div \frac{4}{\bigstar} > 15 \div \frac{3}{4}$$

(   )

21
$$5 \div \frac{10}{\bigstar} > 27 \div 2\frac{4}{7}$$

(   )

사고력 기르기

 다음은 (자연수)÷(진분수)의 계산입니다. 주어진 식이 성립할 때 ■가 될 수 있는 자연수는 모두 몇 개인지 구하시오. (01~04)

01

$$3 \div \dfrac{\blacksquare}{12} = (자연수)$$

(   )

02

$$6 \div \dfrac{\blacksquare}{16} = (자연수)$$

(   )

03

$$5 \div \dfrac{\blacksquare}{14} = (자연수)$$

(   )

04

$$9 \div \dfrac{\blacksquare}{10} = (자연수)$$

(   )

 보기 와 같은 규칙에 따라 계산하시오. (05~06)

보기

$$㉮ \triangle ㉯ = ㉯ \div (㉮ + ㉯) \qquad ㉮ ◎ ㉯ = ㉮ \div (㉮ - ㉯)$$

05

$$\left(\dfrac{3}{4} \triangle 2\right) + \left(5 ◎ \dfrac{3}{5}\right)$$

06

$$\left(6 ◎ 1\dfrac{1}{3}\right) - \left(2\dfrac{2}{5} \triangle 4\right)$$

주어진 숫자 카드를 모두 사용하여 (자연수)÷(대분수)를 만들려고 합니다. 계산 결과가 가장 큰 식과 가장 작은 식을 각각 만들어 계산해 보시오. (07~09)

07

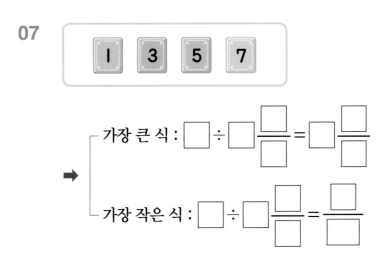

08

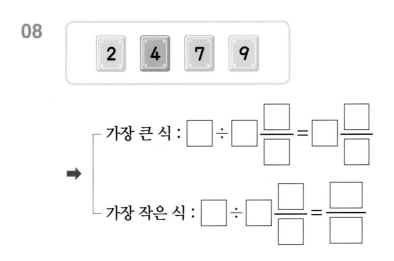

09

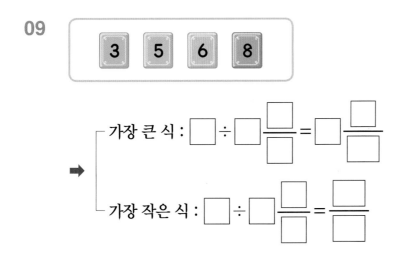

 실력 점검

 □ 안에 알맞은 수를 써넣으시오. (01~03)

01 $2 \div \dfrac{2}{3} = (2 \div \boxed{}) \times \boxed{} = \boxed{}$

02 $3 \div \dfrac{2}{5} = 3 \times \dfrac{\boxed{}}{2} = \dfrac{\boxed{}}{2} = \boxed{}\dfrac{\boxed{}}{2}$

03 $6 \div 3\dfrac{1}{2} = 6 \div \dfrac{\boxed{}}{2} = 6 \times \dfrac{2}{\boxed{}} = \dfrac{\boxed{}}{\boxed{}} = \boxed{}\dfrac{\boxed{}}{\boxed{}}$

 계산을 하시오. (04~13)

04 $8 \div \dfrac{4}{5}$ **05** $15 \div \dfrac{3}{4}$

06 $7 \div \dfrac{2}{3}$ **07** $9 \div \dfrac{6}{7}$

08 $10 \div \dfrac{7}{10}$ **09** $5 \div \dfrac{3}{4}$

10 $4 \div 2\dfrac{1}{2}$ **11** $8 \div 2\dfrac{2}{5}$

12 $14 \div 4\dfrac{1}{2}$ **13** $20 \div 4\dfrac{4}{5}$

 □ 안에 알맞은 수를 써넣으시오. (14~15)

14 $\square \div \dfrac{6}{11} = 14\dfrac{2}{3}$

15 $9 \div 3\dfrac{\square}{7} = 2\dfrac{5}{8}$

 ■ 안에 들어갈 수 있는 자연수를 모두 구하시오. (16~17)

16

$$10 \div \dfrac{2}{3} < ■ < 8 \div \dfrac{4}{9}$$

(   )

17

$$9 \div \dfrac{3}{4} < ■ < 6 \div \dfrac{3}{8}$$

(   )

 ▲ 안에 들어갈 수 있는 자연수 중 가장 큰 수를 구하시오. (18~19)

18

$$4 \div \dfrac{2}{▲} < 15 \div \dfrac{5}{6}$$

(   )

19

$$12 \div \dfrac{4}{▲} < 50 \div 3\dfrac{1}{3}$$

(   )

 다음은 (자연수)÷(진분수)의 계산입니다. 주어진 식이 성립할 때 ☆이 될 수 있는 자연수는 모두 몇 개인지 구하시오. (20~21)

20

$$4 \div \dfrac{☆}{8} = (자연수)$$

(   )

21

$$6 \div \dfrac{☆}{7} = (자연수)$$

(   )

04 (대분수)÷(진분수), (대분수)÷(대분수) 알아보기

개념

방법-1 대분수를 가분수로 고친 후 두 분수를 통분하여 계산합니다.

$$1\frac{1}{6} \div \frac{3}{4} = \frac{7}{6} \div \frac{3}{4} = \frac{14}{12} \div \frac{9}{12} = \frac{14}{9} = 1\frac{5}{9}$$

$$1\frac{1}{2} \div 1\frac{1}{5} = \frac{3}{2} \div \frac{6}{5} = \frac{15}{10} \div \frac{12}{10} = \frac{15}{12} = \frac{5}{4} = 1\frac{1}{4}$$

방법-2 대분수를 가분수로 고친 후 나누는 수의 분모와 분자를 바꾸어 분수의 곱셈으로 고쳐서 계산합니다.

$$1\frac{1}{6} \div \frac{3}{4} = \frac{7}{6} \div \frac{3}{4} = \frac{7}{\cancel{6}_{3}} \times \frac{\cancel{4}^{2}}{3} = \frac{14}{9} = 1\frac{5}{9}$$

$$1\frac{1}{2} \div 1\frac{1}{5} = \frac{3}{2} \div \frac{6}{5} = \frac{3}{2} \times \frac{5}{\cancel{6}_{2}}^{1} = \frac{5}{4} = 1\frac{1}{4}$$

□ 안에 알맞은 수를 써넣으시오. (01~04)

01 $3\frac{1}{4} \div \frac{2}{3} = \frac{\square}{4} \div \frac{2}{3} = \frac{\square}{12} \div \frac{8}{12} = \frac{\square}{8} = \square\frac{\square}{8}$

02 $1\frac{4}{5} \div \frac{5}{6} = \frac{\square}{5} \div \frac{5}{6} = \frac{\square}{30} \div \frac{25}{30} = \frac{\square}{25} = \square\frac{\square}{25}$

03 $1\frac{3}{8} \div 1\frac{2}{5} = \frac{\square}{8} \div \frac{\square}{5} = \frac{\square}{40} \div \frac{\square}{40} = \frac{\square}{\square}$

04 $2\frac{1}{2} \div 1\frac{1}{8} = \frac{\square}{2} \div \frac{\square}{8} = \frac{\square}{8} \div \frac{\square}{8} = \frac{\square}{\square} = \square\frac{\square}{\square}$

☐ 안에 알맞은 수를 써넣으시오. (05~08)

05 $2\dfrac{1}{2} \div \dfrac{6}{7} = \dfrac{\square}{2} \times \dfrac{7}{\square} = \dfrac{\square}{\square} = \square\dfrac{\square}{\square}$

06 $1\dfrac{1}{6} \div \dfrac{3}{4} = \dfrac{\square}{\underset{\square}{6}} \times \dfrac{\overset{\square}{\cancel{4}}}{\square} = \dfrac{\square}{\square} = \square\dfrac{\square}{\square}$

07 $1\dfrac{3}{4} \div 1\dfrac{1}{5} = \dfrac{\square}{4} \times \dfrac{5}{\square} = \dfrac{\square}{\square} = \square\dfrac{\square}{\square}$

08 $8\dfrac{1}{4} \div 3\dfrac{2}{3} = \dfrac{\square}{4} \times \dfrac{\square}{11} = \dfrac{\square}{44} = \dfrac{\square}{4} = \square\dfrac{\square}{\square}$

 계산을 하시오. (09~18)

09 $1\dfrac{1}{2} \div \dfrac{1}{3}$

10 $2\dfrac{3}{5} \div 1\dfrac{3}{4}$

11 $1\dfrac{3}{8} \div \dfrac{5}{6}$

12 $4\dfrac{4}{9} \div 2\dfrac{2}{5}$

13 $2\dfrac{4}{5} \div \dfrac{3}{4}$

14 $6\dfrac{3}{4} \div 1\dfrac{1}{8}$

15 $2\dfrac{1}{4} \div \dfrac{5}{8}$

16 $2\dfrac{3}{4} \div 4\dfrac{2}{5}$

17 $1\dfrac{1}{11} \div \dfrac{6}{7}$

18 $4\dfrac{1}{6} \div 2\dfrac{2}{9}$

 □ 안에 알맞은 수를 써넣으시오. (01~08)

01 $1\dfrac{2}{5} \div \dfrac{\square}{4} = 1\dfrac{13}{15}$

02 $2\dfrac{\square}{5} \div \dfrac{1}{3} = 7\dfrac{1}{5}$

03 $1\dfrac{3}{7} \div \dfrac{\square}{5} = 3\dfrac{4}{7}$

04 $1\dfrac{\square}{8} \div \dfrac{3}{4} = 1\dfrac{5}{6}$

05 $2\dfrac{1}{3} \div \dfrac{\square}{6} = 2\dfrac{4}{5}$

06 $2\dfrac{\square}{9} \div \dfrac{11}{15} = 3\dfrac{1}{3}$

07 $3\dfrac{1}{5} \div \dfrac{\square}{9} = 3\dfrac{3}{5}$

08 $2\dfrac{\square}{5} \div \dfrac{2}{9} = 12\dfrac{3}{5}$

 □ 안에 알맞은 수를 써넣으시오. (09~16)

09 $1\dfrac{2}{7} \div 1\dfrac{\square}{8} = 1\dfrac{1}{7}$

10 $1\dfrac{\square}{2} \div 1\dfrac{2}{3} = \dfrac{9}{10}$

11 $2\dfrac{5}{8} \div 1\dfrac{\square}{6} = 2\dfrac{1}{4}$

12 $1\dfrac{\square}{5} \div 1\dfrac{3}{8} = 1\dfrac{1}{55}$

13 $1\dfrac{2}{13} \div 1\dfrac{\square}{3} = \dfrac{9}{13}$

14 $2\dfrac{\square}{21} \div 2\dfrac{2}{9} = 1\dfrac{1}{14}$

15 $1\dfrac{5}{9} \div 2\dfrac{\square}{5} = \dfrac{35}{54}$

16 $3\dfrac{\square}{4} \div 1\dfrac{3}{7} = 2\dfrac{5}{8}$

다음은 (대분수)÷(진분수)의 계산입니다. ▨ 안에 들어갈 수 있는 수는 모두 몇 개인지 구하시오. (17~20)

17
$$2\frac{1}{4} \div \frac{▨}{12} = (자연수)$$

( )

18
$$3\frac{3}{5} \div \frac{▨}{10} = (자연수)$$

( )

19
$$1\frac{4}{9} \div \frac{▨}{18} = (자연수)$$

( )

20
$$2\frac{2}{3} \div \frac{▨}{12} = (자연수)$$

( )

 주어진 5장의 숫자 카드 중 3장을 뽑아 대분수를 만들려고 합니다. 만들 수 있는 가장 큰 대분수를 가장 작은 대분수로 나눈 몫을 구하시오. (21~22)

21

| 1 | 2 | 3 | 4 | 5 |

$$\boxed{\ }\frac{\boxed{\ }}{\boxed{\ }} \div \boxed{\ }\frac{\boxed{\ }}{\boxed{\ }} = \boxed{\ }$$

22

| 2 | 4 | 5 | 6 | 8 |

$$\boxed{\ }\frac{\boxed{\ }}{\boxed{\ }} \div \boxed{\ }\frac{\boxed{\ }}{\boxed{\ }} = \boxed{\ }$$

 다음은 (대분수)÷(진분수)의 계산입니다. 주어진 식을 성립시키는 여러 가지 식을 만들어 보시오. (01~03)

01

$$1\frac{\blacksquare}{5} \div \frac{\triangle}{9} = 3\frac{3}{5}$$

$$1\frac{\square}{5} \div \frac{\square}{9} = 3\frac{3}{5} \qquad 1\frac{\square}{5} \div \frac{\square}{9} = 3\frac{3}{5}$$

02

$$1\frac{\blacksquare}{7} \div \frac{\triangle}{10} = 4\frac{2}{7}$$

$$1\frac{\square}{7} \div \frac{\square}{10} = 4\frac{2}{7} \qquad 1\frac{\square}{7} \div \frac{\square}{10} = 4\frac{2}{7}$$

03

$$1\frac{\blacksquare}{9} \div \frac{\triangle}{11} = 2\frac{4}{9}$$

$$1\frac{\square}{9} \div \frac{\square}{11} = 2\frac{4}{9} \qquad 1\frac{\square}{9} \div \frac{\square}{11} = 2\frac{4}{9}$$

$$1\frac{\square}{9} \div \frac{\square}{11} = 2\frac{4}{9} \qquad 1\frac{\square}{9} \div \frac{\square}{11} = 2\frac{4}{9}$$

주어진 5장의 숫자 카드를 모두 사용하여 (대분수)÷(진분수)를 만들려고 합니다. 계산 결과가 가장 큰 식과 가장 작은 식을 각각 만들어 계산해 보시오. (04~06)

04

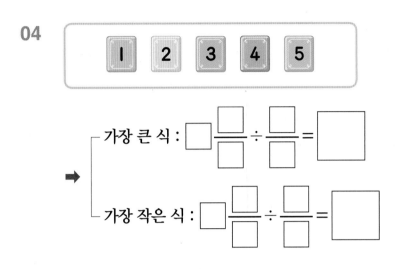

05

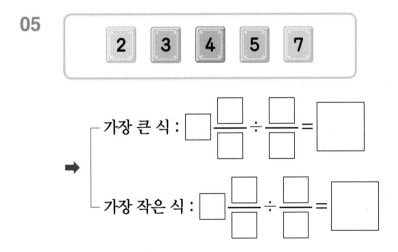

06

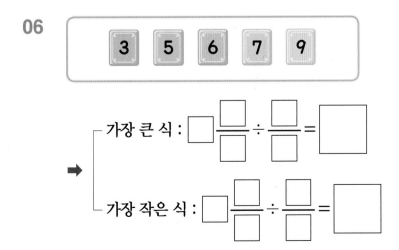

 □ 안에 알맞은 수를 써넣으시오. (01~04)

01 $3\dfrac{1}{2} \div \dfrac{4}{5} = \dfrac{\square}{2} \div \dfrac{4}{5} = \dfrac{\square}{10} \div \dfrac{\square}{10} = \dfrac{\square}{\square} = \square\dfrac{\square}{\square}$

02 $1\dfrac{1}{3} \div \dfrac{3}{4} = \dfrac{\square}{3} \div \dfrac{3}{4} = \dfrac{\square}{3} \times \dfrac{\square}{3} = \dfrac{\square}{9} = \square\dfrac{\square}{\square}$

03 $2\dfrac{5}{6} \div 1\dfrac{1}{2} = \dfrac{\square}{6} \div \dfrac{\square}{2} = \dfrac{\square}{6} \div \dfrac{\square}{6} = \dfrac{\square}{\square} = \square\dfrac{\square}{\square}$

04 $5\dfrac{1}{7} \div 2\dfrac{2}{5} = \dfrac{\square}{7} \div \dfrac{\square}{5} = \dfrac{\square}{7} \times \dfrac{5}{\square} = \dfrac{\square}{7} = \square\dfrac{\square}{\square}$

 계산을 하시오. (05~12)

05 $3\dfrac{5}{6} \div \dfrac{3}{8}$

06 $2\dfrac{3}{4} \div 1\dfrac{1}{2}$

07 $2\dfrac{4}{9} \div \dfrac{4}{5}$

08 $3\dfrac{3}{8} \div 1\dfrac{3}{4}$

09 $1\dfrac{7}{9} \div \dfrac{6}{7}$

10 $5\dfrac{4}{7} \div 2\dfrac{3}{5}$

11 $3\dfrac{7}{10} \div \dfrac{5}{9}$

12 $4\dfrac{7}{12} \div 3\dfrac{1}{3}$

 □ 안에 알맞은 수를 써넣으시오. (13~16)

13 $2\dfrac{3}{5} \div \dfrac{\square}{6} = 3\dfrac{3}{25}$

14 $1\dfrac{\square}{7} \div \dfrac{2}{5} = 3\dfrac{4}{7}$

15 $1\dfrac{7}{8} \div 1\dfrac{\square}{7} = 1\dfrac{11}{24}$

16 $3\dfrac{\square}{10} \div 2\dfrac{3}{5} = 1\dfrac{11}{26}$

 다음은 (대분수)÷(진분수)의 계산입니다. ▨ 안에 들어갈 수 있는 수는 모두 몇 개인지 구하시오. (17~18)

17
$$3\dfrac{1}{3} \div \dfrac{\blacksquare}{9} = (자연수)$$

(   )

18
$$2\dfrac{2}{7} \div \dfrac{\blacksquare}{14} = (자연수)$$

(   )

19 다음은 (대분수)÷(진분수)의 계산입니다. 주어진 식을 성립시키는 여러 가지 식을 만들어 보시오.

$$1\dfrac{\blacksquare}{9} \div \dfrac{\blacktriangle}{10} = 2\dfrac{2}{9}$$

$1\dfrac{\square}{9} \div \dfrac{\square}{10} = 2\dfrac{2}{9}$

$1\dfrac{\square}{9} \div \dfrac{\square}{10} = 2\dfrac{2}{9}$

$1\dfrac{\square}{9} \div \dfrac{\square}{10} = 2\dfrac{2}{9}$

$1\dfrac{\square}{9} \div \dfrac{\square}{10} = 2\dfrac{2}{9}$

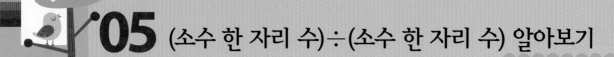

05 (소수 한 자리 수)÷(소수 한 자리 수) 알아보기

방법 1 자연수의 나눗셈을 이용하여 계산하기

$$3.6 \div 1.2 = 36 \div 12 = 3$$

10배

10배

방법 2 분수의 나눗셈으로 고쳐서 계산하기

$$3.6 \div 1.2 = \frac{36}{10} \div \frac{12}{10} = 36 \div 12 = 3$$

방법 3 세로로 계산하기

$$1.2\overline{)3.6} \quad \Rightarrow \quad 1.2\overline{)3.6} \quad \Rightarrow \quad 12\overline{)36}$$

□ 안에 알맞은 수를 써넣으시오. (01~06)

01 $104 \div 8 = \boxed{}$ ➡ $10.4 \div 0.8 = \boxed{}$

02 $156 \div 13 = \boxed{}$ ➡ $15.6 \div 1.3 = \boxed{}$

03 $345 \div 23 = \boxed{}$ ➡ $34.5 \div 2.3 = \boxed{}$

04 $2.7 \div 0.3 = \frac{\boxed{}}{10} \div \frac{\boxed{}}{10} = \boxed{} \div \boxed{} = \boxed{}$

05 $24.8 \div 0.8 = \frac{\boxed{}}{10} \div \frac{\boxed{}}{10} = \boxed{} \div \boxed{} = \boxed{}$

06 $54.4 \div 3.2 = \frac{\boxed{}}{10} \div \frac{\boxed{}}{10} = \boxed{} \div \boxed{} = \boxed{}$

□ 안에 알맞은 수를 써넣으시오. (07~10)

07

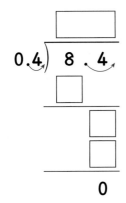

08

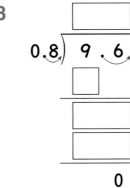

09

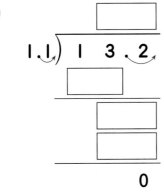

10

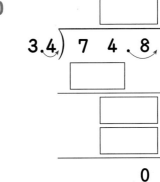

 계산을 하시오. (11~22)

11 $6.4 \div 0.8$ **12** $5.4 \div 0.6$ **13** $23.4 \div 1.8$

14 $82.8 \div 3.6$ **15** $48.6 \div 2.7$ **16** $77.4 \div 8.6$

17 $0.5 \overline{)3.5}$ **18** $0.7 \overline{)6.3}$ **19** $1.7 \overline{)54.4}$

20 $2.8 \overline{)33.6}$ **21** $4.5 \overline{)58.5}$ **22** $3.7 \overline{)107.3}$

사고력 기르기

 ▨ 안에 들어갈 수 있는 숫자를 모두 구하시오. (01~06)

01

$$0.8 \div 0.▨ > 2$$

( )

02

$$3.9 \div 1.▨ > 3$$

( )

03

$$2.1 \div 0.▨ > 7$$

( )

04

$$19.2 \div 2.▨ > 8$$

( )

05

$$4.5 \div 0.▨ > 9$$

( )

06

$$47.3 \div 4.▨ > 11$$

( )

 주어진 식에서 ☆과 ♥에 알맞은 숫자를 각각 구하시오. (07~08)

07

$$0.♥) \overline{☆.♥} \quad \begin{array}{r} 5 \\ \hline ☆ ♥ \\ \hline 0 \end{array}$$

(☆ = ☐ , ♥ = ☐)

08

$$0.♥) \overline{☆.♥} \quad \begin{array}{r} 6 \\ \hline ☆ ♥ \\ \hline 0 \end{array}$$

(☆ = ☐ , ♥ = ☐)

(☆ = ☐ , ♥ = ☐)

(☆ = ☐ , ♥ = ☐)

(☆ = ☐ , ♥ = ☐)

□ 안에 알맞은 숫자를 써넣어 나눗셈식을 완성하시오. (09~14)

09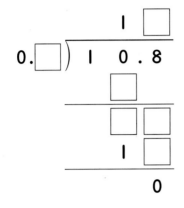

10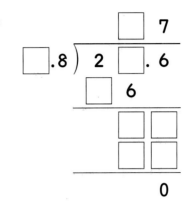

11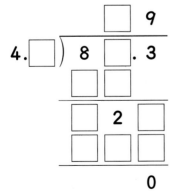

12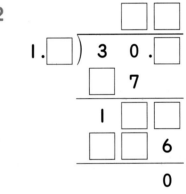

13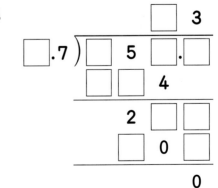

14

사고력 기르기

Step 2

주어진 식을 성립시키는 여러 가지 나눗셈식을 만들어 보시오. (01~02)

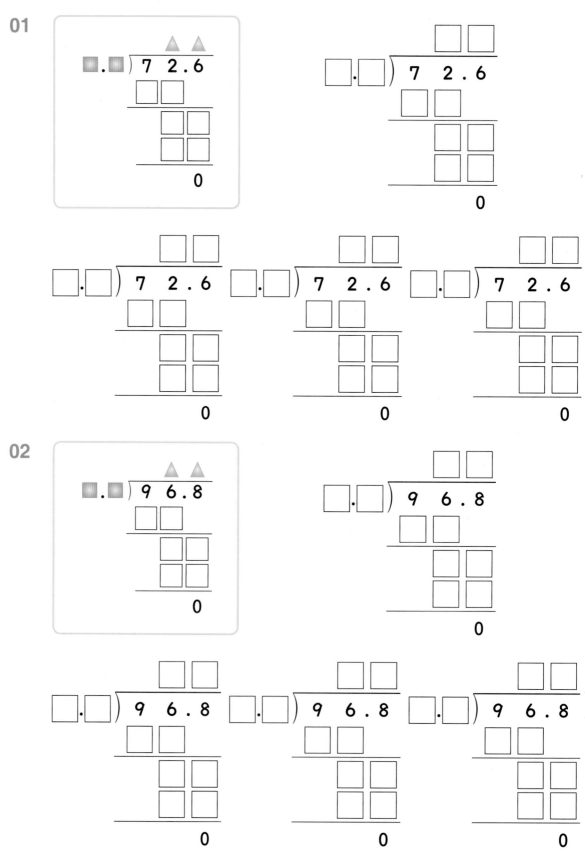

주어진 5장의 숫자 카드를 모두 사용하여 나눗셈식을 만들어 보시오. (03~04)

03

0 2 3 4 6

(1) □□.□ ÷ □.□
   =82

(2) □□.□ ÷ □.□
   =88

(3) □□.□ ÷ □.□
   =142

(4) □□.□ ÷ □.□
   =154

(5) □□.□ ÷ □.□
   =208

(6) □□.□ ÷ □.□
   =214

04

0 4 6 8 9

(1) □□.□ ÷ □.□
   =52

(2) □□.□ ÷ □.□
   =54

(3) □□.□ ÷ □.□
   =72

(4) □□.□ ÷ □.□
   =76

(5) □□.□ ÷ □.□
   =94

(6) □□.□ ÷ □.□
   =96

 □ 안에 알맞은 수를 써넣으시오. (01~04)

01 $336 \div 28 = \boxed{}$ ➡ $33.6 \div 2.8 = \boxed{}$

02 $82.8 \div 3.6 = \dfrac{\boxed{}}{10} \div \dfrac{\boxed{}}{10} = \boxed{} \div \boxed{} = \boxed{}$

03

$$1.7 \overline{)\ 4\ 0\ .\ 8}$$

0

04

$$5.2 \overline{)\ 9\ 3\ .\ 6}$$

0

 계산을 하시오. (05~13)

05 $7.2 \div 0.6$

06 $18.4 \div 2.3$

07 $77.9 \div 1.9$

08 $4.6 \overline{)36.8}$

09 $1.8 \overline{)16.2}$

10 $4.3 \overline{)55.9}$

11 $6.2 \overline{)86.8}$

12 $5.3 \overline{)79.5}$

13 $3.9 \overline{)97.5}$

 ▧ 안에 들어갈 수 있는 숫자를 모두 구하시오. (14~15)

14
$$6.4 \div 0.▧ > 16$$

(   )

15
$$61.2 \div 3.▧ > 17$$

(   )

16 주어진 식을 성립시키는 여러 가지 나눗셈식을 만들어 보시오. (단, 모양이 다르더라도 숫자가 같을 수 있습니다.)

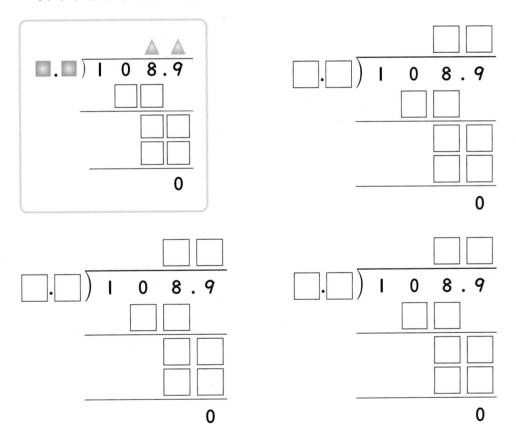

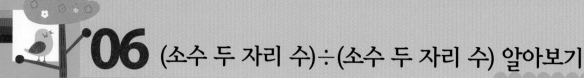

06 (소수 두 자리 수)÷(소수 두 자리 수) 알아보기

방법 1 자연수의 나눗셈을 이용하여 계산하기

$$1.44 \div 0.12 = 144 \div 12 = 12$$

(100배, 100배)

방법 2 분수의 나눗셈으로 고쳐서 계산하기

$$1.44 \div 0.12 = \frac{144}{100} \div \frac{12}{100} = 144 \div 12 = 12$$

방법 3 세로로 계산하기

$$0.12\overline{)1.44} \quad \Rightarrow \quad 0.12\overline{)1.44} \quad \Rightarrow \quad \begin{array}{r} 12 \\ 12\overline{)144} \\ \underline{12} \\ 24 \\ \underline{24} \\ 0 \end{array}$$

 □ 안에 알맞은 수를 써넣으시오. (01~05)

01 $224 \div 16 = \boxed{}$ ➡ $2.24 \div 0.16 = \boxed{}$

02 $416 \div 52 = \boxed{}$ ➡ $4.16 \div 0.52 = \boxed{}$

03 $1.75 \div 0.25 = \dfrac{\boxed{}}{100} \div \dfrac{\boxed{}}{100} = \boxed{} \div \boxed{} = \boxed{}$

04 $4.92 \div 1.23 = \dfrac{\boxed{}}{100} \div \dfrac{\boxed{}}{100} = \boxed{} \div \boxed{} = \boxed{}$

05 $6.48 \div 2.16 = \dfrac{\boxed{}}{100} \div \dfrac{\boxed{}}{100} = \boxed{} \div \boxed{} = \boxed{}$

06

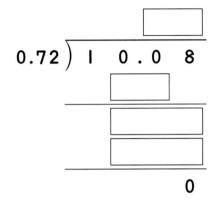

$$0.72 \overline{)\ 1\ 0\ .\ 0\ 8}$$

07

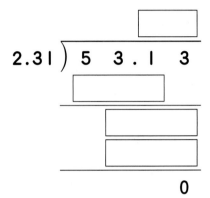

$$2.31 \overline{)\ 5\ 3\ .\ 1\ 3}$$

계산을 하시오. (08~19)

08 $4.44 \div 0.74$

09 $15.64 \div 0.92$

10 $9.48 \div 1.58$

11 $36.72 \div 2.04$

12 $54.12 \div 4.92$

13 $76.34 \div 3.47$

14 $0.25 \overline{)2.2\ 5}$

15 $0.94 \overline{)1\ 5.0\ 4}$

16 $1.28 \overline{)1\ 6.6\ 4}$

17 $2.57 \overline{)2\ 0.5\ 6}$

18 $3.92 \overline{)1\ 0\ 5.8\ 4}$

19 $2.64 \overline{)1\ 1\ 0.8\ 8}$

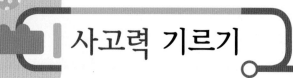

 미국에서 사용하는 단위가 우리나라에서 사용하는 단위로 얼마를 나타내는지 나타낸 표입니다. ☐ 안에 알맞은 수를 써넣으시오. (01~16)

미국 단위	1 ft(피트)	1 in(인치)	1 mile(마일)	1 lb(파운드)
우리나라 단위	30.48 cm	2.54 cm	1.61 km	0.45 kg

01 121.92 cm = ☐ ft

02 243.84 cm = ☐ ft

03 335.28 cm = ☐ ft

04 487.68 cm = ☐ ft

05 15.24 cm = ☐ in

06 22.86 cm = ☐ in

07 45.72 cm = ☐ in

08 106.68 cm = ☐ in

09 11.27 km = ☐ mile

10 8.05 km = ☐ mile

11 19.32 km = ☐ mile

12 46.69 km = ☐ mile

13 7.65 kg = ☐ lb

14 17.55 kg = ☐ lb

15 18.45 kg = ☐ lb

16 41.85 kg = ☐ lb

□ 안에 알맞은 수를 써넣으시오. (17~24)

17 $3.\boxed{}6 \div 0.4\boxed{} = 7$

18 $\boxed{}.84 \div 0.9\boxed{} = 8$

19 $6.0\boxed{} \div 1.\boxed{}2 = 4$

20 $\boxed{}.56 \div 3.2\boxed{} = 2$

21 $9.\boxed{}2 \div 1.\boxed{}7 = 6$

22 $\boxed{}1.04 \div 2.7\boxed{} = 4$

23 $3\boxed{}.56 \div 3.\boxed{}4 = 9$

24 $\boxed{}2.\boxed{}2 \div 4.6\boxed{} = 9$

 주어진 6장의 숫자 카드를 모두 사용하여 몫이 가장 크게 되도록 (소수 두 자리 수) ÷ (소수 두 자리 수)의 나눗셈식을 만들어 몫을 구하시오. (25~26)

25

$\boxed{}.\boxed{}\boxed{} \div \boxed{}.\boxed{}\boxed{} = \boxed{}$

26

$\boxed{}.\boxed{}\boxed{} \div \boxed{}.\boxed{}\boxed{} = \boxed{}$

사고력 기르기

Step 2

□ 안에 알맞은 숫자를 써넣어 나눗셈식을 완성하시오. (01~06)

01

```
        1 □
0.□4)□.88
     2□
     □□
     □□
      0
```

02

```
        □3
0.3□)8.□4
    □6
    □□□
    □□□
     0
```

03

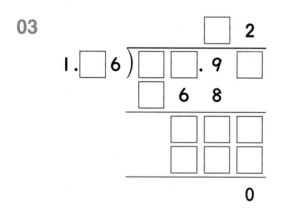

```
        □2
1.□6)□□.9□
    □68
    □□□
    □□□
     0
```

04

```
         2□
□.□3)55.□3
    □2□
    □□□
    □□□
     0
```

05

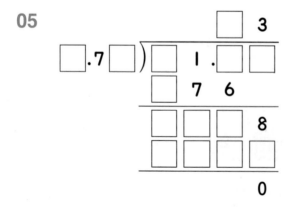

```
         □3
□.7□)□1.□□
    □76
    □□□8
    □□□□
     0
```

06

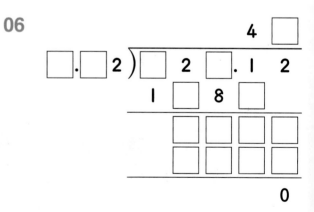

```
         4□
□.□2)□2□.12
    1□8□
    □□□□
    □□□□
      0
```

주어진 식을 성립시키는 여러 가지 나눗셈식을 만들어 보시오. (단, ■ > ▲ 입니다.) (07~08)

07

$$■▲.■▲÷☆.0☆=7$$

□□.□□ ÷ □.0□ =7   □□.□□ ÷ □.0□ =7

□□.□□ ÷ □.0□ =7

08

$$■▲.■▲÷☆.0☆=9$$

□□.□□ ÷ □.0□ =9   □□.□□ ÷ □.0□ =9

□□.□□ ÷ □.0□ =9   □□.□□ ÷ □.0□ =9

 주어진 식을 성립시키는 여러 가지 나눗셈식을 만들어 보시오. (09~10)

09

$$2.■5÷0.▲☆=3$$

2.□5 ÷ 0.□□ =3   2.□5 ÷ 0.□□ =3

2.□5 ÷ 0.□□ =3

10

$$9.■6÷2.▲☆=4$$

9.□6 ÷ 2.□□ =4   9.□6 ÷ 2.□□ =4

9.□6 ÷ 2.□□ =4   9.□6 ÷ 2.□□ =4

9.□6 ÷ 2.□□ =4

실력 점검

 ☐ 안에 알맞은 수를 써넣으시오. (01~04)

01 $861 \div 123 =$ ☐ ➡ $8.61 \div 1.23 =$ ☐

02 $9.72 \div 3.24 = \dfrac{☐}{100} \div \dfrac{☐}{100} =$ ☐ $\div$ ☐ $=$ ☐

03

$$3.86 \overline{)\ 5\ 4\ .\ 0\ 4}$$

0

04

$$4.92 \overline{)\ 6\ 3\ .\ 9\ 6}$$

0

 계산을 하시오. (05~12)

05 $4.86 \div 0.27$

06 $22.77 \div 0.99$

07 $16.74 \div 1.86$

08 $71.25 \div 2.85$

09 $0.91 \overline{)3.6\ 4}$

10 $0.72 \overline{)2\ 2.3\ 2}$

11 $4.68 \overline{)3\ 7.4\ 4}$

12 $1.87 \overline{)7\ 1.0\ 6}$

□ 안에 알맞은 수를 써넣으시오. (13~16)

13 2.□9÷0.3□=7

14 5.0□÷0.□6=9

15 |□.68÷2.7□=6

16 □5.9□÷3.□4=8

17 주어진 6장의 숫자 카드를 모두 사용하여 몫이 가장 크게 되도록 (소수 두 자리 수) ÷(소수 두 자리 수)의 나눗셈식을 만들어 몫을 구하시오.

| 0 | 8 | 4 | 4 | 2 | 6 |

□.□□÷□.□□=□

18 주어진 식을 성립시키는 여러 가지 나눗셈식을 만들어 보시오.

7.■4÷2.▲★=3

7.□4÷2.□□=3   7.□4÷2.□□=3

7.□4÷2.□□=3

07 자릿수가 다른 소수의 나눗셈 알아보기

• 나누는 수와 나누어지는 수의 소수점을 각각 오른쪽으로 똑같이 옮겨서 계산합니다.

• 몫을 쓸 때 옮긴 소수점의 위치 위에 소수점을 찍습니다.

$$6.25 \div 2.5 = 62.5 \div 25 = 2.5$$

```
        2.5
2.5)6.2.5
      5 0
      1 2 5
      1 2 5
            0
```

$$5.4 \div 1.35 = 540 \div 135 = 4$$

```
          4
1.35)5.4 0.
       5 4 0
             0
```

🌸 ☐ 안에 알맞은 수를 써넣으시오. (01~05)

01 $1.95 \div 1.5 = $ ☐

$\times 10 \downarrow \qquad \downarrow \times 10$

$19.5 \div 15 = $ ☐

02 $41.7 \div 2.78 = $ ☐

$\times 100 \downarrow \qquad \downarrow \times 100$

$4170 \div 278 = $ ☐

03 $7.56 \div 4.2 = \dfrac{\boxed{}}{10} \div \dfrac{\boxed{}}{10} = \boxed{} \div \boxed{} = \boxed{}$

04 $22.23 \div 5.7 = \dfrac{\boxed{}}{10} \div \dfrac{\boxed{}}{10} = \boxed{} \div \boxed{} = \boxed{}$

05 $96.6 \div 6.44 = \dfrac{\boxed{}}{100} \div \dfrac{\boxed{}}{100} = \boxed{} \div \boxed{} = \boxed{}$

□ 안에 알맞은 수를 써넣으시오. (06~07)

06

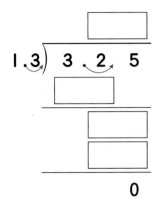

07

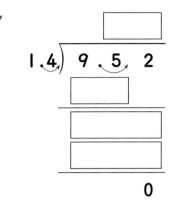

 계산을 하시오. (08~19)

08　5.78÷3.4

09　6.72÷1.6

10　8.82÷4.9

11　17.28÷5.4

12　22.14÷1.8

13　80.24÷6.8

14　4.7)8.4 6

15　5.2)5.7 2

16　2.8)1 0.9 2

17　8.9)1 8.6 9

18　7.1)6 6.0 3

19　4.3)4 8.1 6

사고력 기르기

 ☐ 안에 알맞은 수를 써넣으시오. (01~08)

01 $6.66 \div \boxed{} = 0.9$

02 $4.16 \div \boxed{} = 5.2$

03 $2.88 \div \boxed{} = 2.4$

04 $6.46 \div \boxed{} = 1.9$

05 $14.82 \div \boxed{} = 2.6$

06 $21.15 \div \boxed{} = 4.5$

07 $85.28 \div \boxed{} = 10.4$

08 $80.23 \div \boxed{} = 7.1$

 ♡에 들어갈 수 있는 수를 구하시오. (09~12)

09
$$9.25 \div (3 + ♡) = 2.5$$
(   )

10
$$8.82 \div (4 + ♡) = 1.8$$
(   )

11
$$5.72 \div (7 + ♡) = 0.8$$
(   )

12
$$15.946 \div (2 + ♡) = 6.7$$
(   )

□ 안에 알맞은 숫자를 써넣어 나눗셈식을 완성하시오. (13~18)

13

```
        3 . □
  □ .7 ) 2 . □ 4
        □   1
        □ □
        □ □
            0
```

14

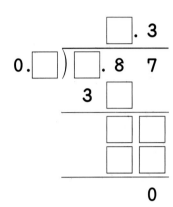

```
          □ . 3
  0 . □ ) □ . 8 7
        3 □
        □ □
        □ □
            0
```

15

```
        2 . □
  □ .8 ) 6 . □ 4
        □   6
        □ □
        □ □
            0
```

16

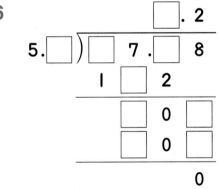

```
            □ . 2
  5 . □ ) □ 7 . □ 8
        1 □   2
        □ 0 □
        □ 0 □
            0
```

17

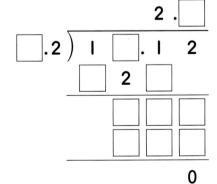

```
          2 . □
  □ .2 ) 1 □ . 1 2
        □   2 □
        □ □ □
        □ □ □
            0
```

18

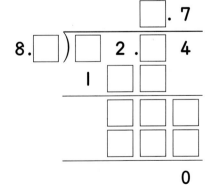

```
            □ . 7
  8 . □ ) □ 2 . □ 4
        1 □ □
        □ □ □
        □ □ □
            0
```

 ☐ 안에 알맞은 숫자를 써넣어 나눗셈식을 완성하시오. (01~02)

01

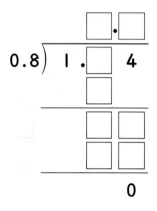

02

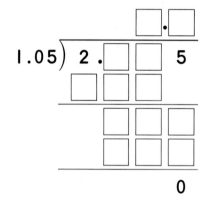

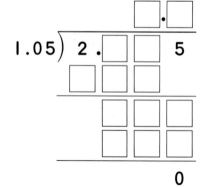

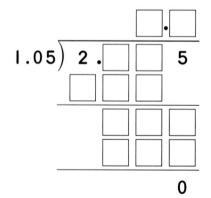

☐ 안에 I부터 5까지의 수를 모두 써넣어 식을 완성하시오. (03~06)

03

04

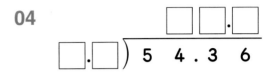

05

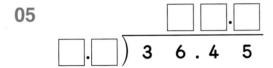

06

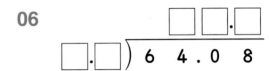

07 다음 나눗셈식을 성립시키는 여러 가지 나눗셈식을 만들어 보시오. (단, 같은 모양은 같은 숫자입니다.)

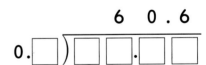

        6 0 . 6
0.☐) ☐ ☐ . ☐ ☐   0.☐) ☐ ☐ . ☐ ☐

        6 0 . 6   6 0 . 6
0.☐) ☐ ☐ . ☐ ☐   0.☐) ☐ ☐ . ☐ ☐

실력 점검

 ☐ 안에 알맞은 수를 써넣으시오. (01~04)

01 $2.52 \div 1.8 = \dfrac{\boxed{}}{10} \div \dfrac{\boxed{}}{10} = \boxed{} \div \boxed{} = \boxed{}$

02 $45.5 \div 3.25 = \dfrac{\boxed{}}{100} \div \dfrac{\boxed{}}{100} = \boxed{} \div \boxed{} = \boxed{}$

03
```
        ┌──────────┐
        │          │
3.4 ) 5 . 7   8
        ┌──────────┐
        │          │
        ├──────────┤
        │          │
        ├──────────┤
        │          │
        └──────────┘
                 0
```

04
```
        ┌──────────┐
        │          │
2.1 ) 5 . 2   5
        ┌──────────┐
        │          │
        ├──────────┤
        │          │
        ├──────────┤
        │          │
        └──────────┘
                 0
```

 계산을 하시오. (05~12)

05 $3.36 \div 0.7$

06 $7.08 \div 1.2$

07 $9.52 \div 2.8$

08 $31.62 \div 6.2$

09 $0.9 \overline{)4.7\,7}$

10 $2.8 \overline{)1\,1.4\,8}$

11 $3.9 \overline{)2\,4.9\,6}$

12 $5.7 \overline{)4\,2.7\,5}$

 □ 안에 알맞은 수를 써넣으시오. (13~14)

13 $8.48 \div \boxed{} = 1.6$

14 $8.93 \div \boxed{} = 4.7$

 ♡에 들어갈 수 있는 수를 구하시오. (15~16)

15
$$26.88 \div (5 + ♡) = 4.8$$

(   )

16
$$12.285 \div (2 + ♡) = 4.5$$

(   )

 □ 안에 알맞은 숫자를 써넣어 나눗셈식을 완성하시오. (17~18)

17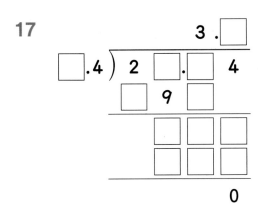

18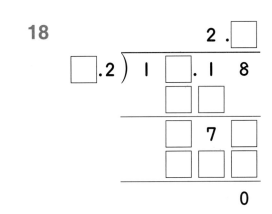

 □ 안에 1부터 5까지의 수를 모두 써넣어 식을 완성하시오. (19~20)

19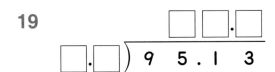

20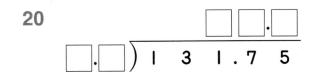

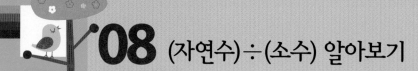
개념

방법 1 분수의 나눗셈으로 고쳐서 계산하기

$$18÷1.5=\frac{180}{10}÷\frac{15}{10}=180÷15=12$$

방법 2 세로로 계산하기

$$1.5)\overline{18} \quad \Rightarrow \quad 1.5)\overline{18.0}$$

$$\begin{array}{r} 12 \\ 1.5)\overline{18.0} \\ 15 \\ \hline 30 \\ 30 \\ \hline 0 \end{array}$$

➡ 나누는 수가 자연수가 되도록 나누는 수와 나누어지는 수의 소수점을 오른쪽으로 같은 자리만큼씩 옮겨 계산합니다.

 □ 안에 알맞은 수를 써넣으시오. (01~04)

01 $12÷2.4=\boxed{}$

$×10↓ \quad ↓×10$

$120÷24=\boxed{}$

02 $48÷0.6=\boxed{}$

$×10↓ \quad ↓×10$

$480÷6=\boxed{}$

03 $42÷1.5=\dfrac{\boxed{}}{10}÷\dfrac{\boxed{}}{10}=\boxed{}÷\boxed{}=\boxed{}$

04 $18÷4.5=\dfrac{\boxed{}}{10}÷\dfrac{\boxed{}}{10}=\boxed{}÷\boxed{}=\boxed{}$

□ 안에 알맞은 수를 써넣으시오. (05~06)

05

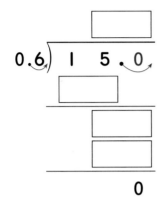

0

06

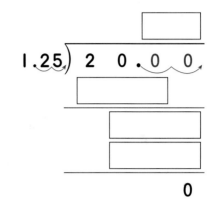

0

계산을 하시오. (07~18)

07 $9 \div 1.8$

08 $23 \div 4.6$

09 $60 \div 2.4$

10 $65 \div 2.5$

11 $39 \div 3.25$

12 $66 \div 2.75$

13 $1.2 \overline{)30}$

14 $2.5 \overline{)45}$

15 $4.5 \overline{)18}$

16 $1.7 \overline{)85}$

17 $4.25 \overline{)34}$

18 $2.25 \overline{)81}$

사고력 기르기

 ☐ 안에 알맞은 수를 써넣으시오. (01~05)

01 $36 ÷ \boxed{} = 360 ÷ \boxed{} = 45$

02 $96 ÷ \boxed{} = 960 ÷ \boxed{} = 64$

03 $63 ÷ \boxed{} = 6300 ÷ \boxed{} = 28$

04 $45 ÷ \boxed{} = 4500 ÷ \boxed{} = 12$

05 $540 ÷ \boxed{} = 5400 ÷ \boxed{} = 75$

 ㉠에 들어갈 수는 ㉡에 들어갈 수의 몇 배인지 구하시오. (06~08)

06

$$30 ÷ ㉠ = 4 \qquad 30 ÷ ㉡ = 40$$

(   )

07

$$18 ÷ ㉠ = 15 \qquad 18 ÷ ㉡ = 150$$

(   )

08

$$990 ÷ ㉠ = 36 \qquad 99 ÷ ㉡ = 360$$

(   )

(자연수)÷(소수)의 계산식입니다. ☐ 안에 알맞은 숫자를 써넣어 식을 완성하시오. (09~14)

09
```
        3 □
    □.6 ) 5 □ . □
        □ 8
        □ □
        □ □
            0
```

10
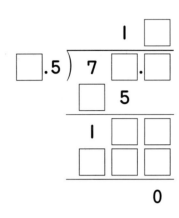

11
```
          □ 5
    1.□ ) □ 0 . □
        8 □
        □ □
        □ □
            0
```

12
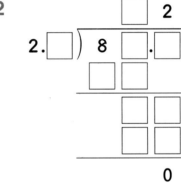

13
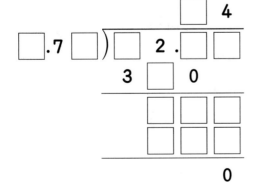

14
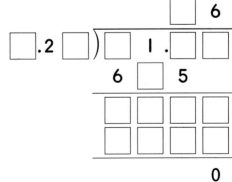

🌸 (자연수)÷(소수)의 계산식입니다. ☐ 안에 알맞은 숫자를 써넣어 여러 가지 나눗셈식을 만들어 보시오. (01~04)

01 ☐☐÷3.☐=5   ☐☐÷3.☐=5

☐☐÷3.☐=5   ☐☐÷3.☐=5

02 ☐☐÷4.☐☐=4   ☐☐÷4.☐☐=4

03 ☐☐÷2.☐☐☐=8   ☐☐÷2.☐☐☐=8

☐☐÷2.☐☐☐=8   ☐☐÷2.☐☐☐=8

04 ☐÷☐.☐5=☐   ☐÷☐.☐5=☐

☐÷☐.☐5=☐   ☐÷☐.☐5=☐

☐÷☐.☐5=☐   ☐÷☐.☐5=☐

☐÷☐.☐5=☐

주어진 4장의 숫자 카드를 ☐ 안에 모두 넣어 식을 완성하시오. (05~09)

05

➡ ☐☐ ÷ ☐.25 = ☐

06

➡ 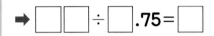 ☐☐ ÷ ☐.75 = ☐

07

➡ 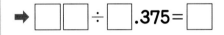 ☐☐ ÷ ☐.375 = ☐

08

➡ 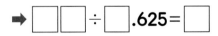 ☐☐ ÷ ☐.625 = ☐

09

➡ 1☐6 ÷ ☐.5 = ☐☐

 실력 점검

 □ 안에 알맞은 수를 써넣으시오. (01~04)

01 $56 \div 1.6 = \dfrac{\boxed{}}{10} \div \dfrac{\boxed{}}{10} = \boxed{} \div \boxed{} = \boxed{}$

02 $76 \div 4.75 = \dfrac{\boxed{}}{100} \div \dfrac{\boxed{}}{100} = \boxed{} \div \boxed{} = \boxed{}$

03

$$3.4\,)\!\overline{\,8\ 5\,.\,0\,}$$

0

04

$$2.25\,)\!\overline{\,5\ 4\,.\,0\ 0\,}$$

0

 계산을 하시오. (05~12)

05 $35 \div 2.5$ **06** $170 \div 6.8$

07 $13 \div 0.65$ **08** $33 \div 2.75$

09 $9.5\,)\!\overline{\,1\ 9\,}$ **10** $2.5\,)\!\overline{\,1\ 3\ 5\,}$

11 $4.25\,)\!\overline{\,1\ 3\ 6\,}$ **12** $8.75\,)\!\overline{\,2\ 4\ 5\,}$

☐ 안에 알맞은 수를 써넣으시오. (13~14)

13 $144 \div \boxed{} = 1440 \div \boxed{} = 32$

14 $171 \div \boxed{} = 17100 \div \boxed{} = 36$

(자연수)÷(소수)의 계산식입니다. ☐ 안에 알맞은 숫자를 써넣어 여러 가지 나눗셈식을 만들어 보시오. (15~16)

15 $\boxed{}\boxed{} \div 8.\boxed{} = 5$　　　$\boxed{}\boxed{} \div 8.\boxed{} = 5$

　　　$\boxed{}\boxed{} \div 8.\boxed{} = 5$　　　$\boxed{}\boxed{} \div 8.\boxed{} = 5$

16 $\boxed{}\boxed{} \div 4.\boxed{}\boxed{}\boxed{} = 8$　　　$\boxed{}\boxed{} \div 4.\boxed{}\boxed{}\boxed{} = 8$

　　　$\boxed{}\boxed{} \div 4.\boxed{}\boxed{}\boxed{} = 8$　　　$\boxed{}\boxed{} \div 4.\boxed{}\boxed{}\boxed{} = 8$

17 주어진 **4**장의 숫자 카드를 ☐ 안에 모두 넣어 식을 완성하시오.

| 4 | 5 | 6 | 8 |

➡ $\boxed{}\boxed{} \div \boxed{}.75 = \boxed{}$ 또는 $\boxed{}\boxed{} \div \boxed{}.75 = \boxed{}$

개념

1. 몫을 반올림하여 나타내기

   • 몫을 반올림하여 자연수로 나타내기

   $5.8 \div 1.3 = 4.4 \cdots \Rightarrow 4$

   • 몫을 반올림하여 소수 첫째 자리까지 나타내기

   $5.8 \div 1.3 = 4.46 \cdots \Rightarrow 4.5$

   • 몫을 반올림하여 소수 둘째 자리까지 나타내기

   $5.8 \div 1.3 = 4.461 \cdots \Rightarrow 4.46$

2. 몫과 나머지 구하기

```
        4  ← 몫
1.3 ) 5.8
      5 2
      0.6  ← 나머지
```

나머지의 소수점은 나누어지는 수의 처음 소수점의 위치에서 내려 찍습니다.

몫을 반올림하여 자연수로 나타내시오. (01~04)

01 $27.62 \div 1.3$

02 $19.87 \div 5.71$

03 $497 \div 9.4$

04 $11.26 \div 4.3$

몫을 반올림하여 소수 첫째 자리까지 나타내시오. (05~10)

05 $19.8 \div 0.7$

06 $4.92 \div 1.1$

07 $29.75 \div 5.1$

08 $49.87 \div 6.9$

09 $127 \div 2.6$

10 $358 \div 14.8$

몫을 반올림하여 소수 둘째 자리까지 나타내시오. (11~16)

11 9.8÷1.2

12 47.25÷5.78

13 19.87÷4.2

14 38.94÷11.7

15 98÷1.26

16 217÷14.8

 나눗셈의 몫을 자연수까지 구하고 나머지를 알아보시오. (17~22)

17 9.8÷1.7

몫 (　　　　　　)

나머지 (　　　　　　)

18 69.25÷7.12

몫 (　　　　　　)

나머지 (　　　　　　)

19 26.54÷3.7

몫 (　　　　　　)

나머지 (　　　　　　)

20 62.74÷7.6

몫 (　　　　　　)

나머지 (　　　　　　)

21 197÷12.3

몫 (　　　　　　)

나머지 (　　　　　　)

22 165÷9.48

몫 (　　　　　　)

나머지 (　　　　　　)

 나눗셈의 몫을 반올림하여 소수 첫째 자리까지 나타낸 몫과 반올림하여 소수 둘째 자리까지 나타낸 몫의 차를 구하시오. (01~06)

01
$$8.7 \div 5.3$$
( )

02
$$26.58 \div 2.67$$
( )

03
$$48.47 \div 6.9$$
( )

04
$$69.56 \div 11.7$$
( )

05
$$49 \div 0.6$$
( )

06
$$128 \div 14.9$$
( )

 나눗셈의 몫을 소수 첫째 자리에서 반올림하여 나타내면 5입니다. ☐ 안에 들어갈 수 있는 숫자를 모두 구하시오. (07~10)

07
$$\square.5 \div 1.6$$
( )

08
$$1\square.3 \div 2.8$$
( )

09
$$1\square.65 \div 2.3$$
( )

10
$$1\square.875 \div 3.25$$
( )

□ 안에 알맞은 수를 써넣으시오. (11~18)

11 □ ÷1.2=4 ⋯ 0.7   12 □ ÷2.4=7 ⋯ 1.5

13 □ ÷3.1=9 ⋯ 0.08   14 □ ÷5.8=11 ⋯ 1.24

15 5.4÷□ =3 ⋯ 0.9   16 14.8÷□ =5 ⋯ 1.3

17 48.14÷□ =8 ⋯ 2.54   18 92.52÷□ =14 ⋯ 5.72

 숫자 카드 5장을 모두 사용하여 몫이 가장 큰 수가 되도록 (소수 두 자리 수)÷(소수 한 자리 수)의 나눗셈식을 만들었을 때, 이 나눗셈의 몫을 소수 첫째 자리까지 구하고, 나머지를 알아보시오. (19~20)

19

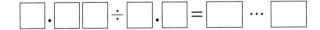

20

사고력 기르기

서로 다른 숫자 카드 5장을 모두 사용하여 몫이 가장 큰 수가 되도록 (소수 한 자리 수)÷(소수 두 자리 수)의 나눗셈식을 만들었을 때의 몫을 반올림하여 소수 둘째 자리까지 나타낸 것입니다. ☆에 알맞은 수를 구하시오. (01~03)

01

$$\square.\square \div \square.\square\square = 3.55$$

(   )

02

| 6 | 9 | 3 | 8 | ☆ |

$$\square.\square \div \square.\square\square = 7.21$$

(   )

03

| 2 | 6 | 7 | 3 | ☆ |

$$\square.\square \div \square.\square\square = 4.11$$

(   )

나눗셈의 몫을 구할 때 몫의 소수 50째 자리에 해당하는 숫자를 구하시오. (04~07)

04

$$21.3 \div 3.3$$

(   )

05

$$4.53 \div 9.99$$

(   )

06

$$7.95 \div 3.33$$

(   )

07

$$58 \div 1.11$$

(   )

주어진 나눗셈식을 성립시키는 여러 가지 나눗셈식을 만들어 보시오. (08~10)

08

$1\blacksquare.5 \div 1.4 = 13 \cdots \triangle$

$1\square.5 \div 1.4 = 13 \cdots \square$　　$1\square.5 \div 1.4 = 13 \cdots \square$

09

$5\blacksquare.3 \div 2.4 = 23 \cdots \triangle$

$5\square.3 \div 2.4 = 23 \cdots \square$　　$5\square.3 \div 2.4 = 23 \cdots \square$

$5\square.3 \div 2.4 = 23 \cdots \square$

10

$9.\blacksquare2 \div 4.2 = 2.2 \cdots \triangle$　　$9.\square2 \div 4.2 = 2.2 \cdots \square$

$9.\square2 \div 4.2 = 2.2 \cdots \square$　　$9.\square2 \div 4.2 = 2.2 \cdots \square$

$9.\square2 \div 4.2 = 2.2 \cdots \square$　　$9.\square2 \div 4.2 = 2.2 \cdots \square$

$9.\square2 \div 4.2 = 2.2 \cdots \square$　　$9.\square2 \div 4.2 = 2.2 \cdots \square$

 주어진 나눗셈의 몫을 소수 첫째 자리까지 구했을 때 나누어떨어지려면 나누어지는 수에 어떤 수를 더해야 합니다. 어떤 수 중 가장 작은 수를 구하시오. (11~12)

11

$21.8 \div 4.6$　　　　(　　　　　　)

12

$46.87 \div 12.9$　　　　(　　　　　　)

09. 몫을 반올림하여 나타내기, 몫과 나머지 구하기 **73**

 몫을 반올림하여 자연수로 나타내시오. (01~02)

01 62.7÷4.1

02 49.82÷1.97

 몫을 반올림하여 소수 첫째 자리까지 나타내시오. (03~06)

03 60.98÷5.4

04 19.87÷0.9

05 25.82÷4.72

06 140÷13.8

 몫을 반올림하여 소수 둘째 자리까지 나타내시오. (07~10)

07 19.8÷1.3

08 42.8÷1.57

09 60.94÷15.4

10 65.47÷5.19

 나눗셈의 몫을 자연수까지 구하고 나머지를 알아보시오. (11~12)

11
| 56.79÷2.95 | ➡ | 몫 ( ) |
| | | 나머지 ( ) |

12
| 15.625÷1.27 | ➡ | 몫 ( ) |
| | | 나머지 ( ) |

 나눗셈의 몫을 반올림하여 소수 첫째 자리까지 나타낸 몫과 소수 둘째 자리까지 나타낸 몫의 차를 구하시오. (13~16)

13

$15.7 \div 3.6$

(   )

14

$24.98 \div 7.6$

(   )

15

$19.62 \div 1.98$

(   )

16

$69.8 \div 7.24$

(   )

 ☐ 안에 알맞은 수를 써넣으시오. (17~18)

17 $\boxed{} \div 6.2 = 2 \cdots 1.4$

18 $64.9 \div \boxed{} = 36 \cdots 0.1$

 주어진 나눗셈의 몫을 자연수까지 구했을 때 나누어떨어지려면 나누어지는 수에 어떤 수를 더해야 합니다. 어떤 수 중 가장 작은 수를 구하시오. (19~20)

19

$67.25 \div 1.28$

(   )

20

$78.729 \div 5.84$

(   )

10 간단한 자연수의 비로 나타내기

(1) 소수의 비 : 각 항에 10, 100, 1000, …을 곱하여 간단한 자연수의 비로 나타냅니다.

$$0.5 : 0.7 \Rightarrow (0.5 \times 10) : (0.7 \times 10) \Rightarrow 5 : 7$$

(2) 분수의 비 : 각 항에 분모의 최소공배수를 곱하여 간단한 자연수의 비로 나타냅니다.

$$\frac{1}{2} : \frac{1}{5} \Rightarrow \left(\frac{1}{2} \times 10\right) : \left(\frac{1}{5} \times 10\right) \Rightarrow 5 : 2$$

(3) 자연수의 비 : 각 항을 두 수의 최대공약수로 나누어 간단한 자연수의 비로 나타냅니다.

$$20 : 25 \Rightarrow (20 \div 5) : (25 \div 5) \Rightarrow 4 : 5$$

(4) 분수와 소수의 비 : 분수를 소수로 또는 소수를 분수로 고친 다음 간단한 자연수의 비로 나타냅니다.

$$\frac{2}{5} : 0.7 \Rightarrow \frac{2}{5} : \frac{7}{10} \Rightarrow \left(\frac{2}{5} \times 10\right) : \left(\frac{7}{10} \times 10\right) \Rightarrow 4 : 7$$

가장 간단한 자연수의 비로 나타내려고 합니다. ☐ 안에 알맞은 수를 써넣으시오. (01~04)

01 $2.4 : 1.7 \Rightarrow (2.4 \times \boxed{}) : (1.7 \times \boxed{}) \Rightarrow \boxed{} : \boxed{}$

02 $\dfrac{1}{3} : \dfrac{1}{8} \Rightarrow \left(\dfrac{1}{3} \times \boxed{}\right) : \left(\dfrac{1}{8} \times \boxed{}\right) \Rightarrow \boxed{} : \boxed{}$

03 $48 : 40 \Rightarrow (48 \div \boxed{}) : (40 \div \boxed{}) \Rightarrow \boxed{} : \boxed{}$

04 $1\dfrac{1}{5} : 2.6 \Rightarrow \dfrac{\boxed{}}{5} : \dfrac{\boxed{}}{5} \Rightarrow \left(\dfrac{\boxed{}}{5} \times \boxed{}\right) : \left(\dfrac{\boxed{}}{5} \times \boxed{}\right)$

$\Rightarrow \boxed{} : \boxed{}$

가장 간단한 자연수의 비로 나타내시오. (05~24)

05 $0.7 : 0.9$ ➡ ☐ : ☐

06 $1.8 : 1.5$ ➡ ☐ : ☐

07 $1.75 : 1.5$ ➡ ☐ : ☐

08 $0.64 : 0.88$ ➡ ☐ : ☐

09 $1.8 : 2.79$ ➡ ☐ : ☐

10 $0.875 : 0.125$ ➡ ☐ : ☐

11 $\dfrac{3}{5} : \dfrac{2}{7}$ ➡ ☐ : ☐

12 $\dfrac{2}{3} : \dfrac{4}{5}$ ➡ ☐ : ☐

13 $1\dfrac{1}{4} : 1\dfrac{1}{2}$ ➡ ☐ : ☐

14 $2\dfrac{3}{5} : 2\dfrac{1}{10}$ ➡ ☐ : ☐

15 $2\dfrac{1}{2} : 3\dfrac{1}{3}$ ➡ ☐ : ☐

16 $1\dfrac{4}{5} : 1\dfrac{1}{6}$ ➡ ☐ : ☐

17 $28 : 35$ ➡ ☐ : ☐

18 $68 : 44$ ➡ ☐ : ☐

19 $100 : 80$ ➡ ☐ : ☐

20 $121 : 132$ ➡ ☐ : ☐

21 $\dfrac{5}{6} : 0.5$ ➡ ☐ : ☐

22 $\dfrac{3}{5} : 1.3$ ➡ ☐ : ☐

23 $1.5 : \dfrac{1}{4}$ ➡ ☐ : ☐

24 $4.2 : 2\dfrac{2}{5}$ ➡ ☐ : ☐

사고력 기르기

 비를 가장 간단한 자연수의 비로 나타낸 것입니다. ㉠과 ㉡의 합을 구하시오. (01~04)

01

$$6 : 10 \Rightarrow (6 \div 2) : (10 \div ㉠) \Rightarrow 3 : ㉡$$

(   )

02

$$\frac{5}{7} : \frac{3}{4} \Rightarrow (\frac{5}{7} \times 28) : (\frac{3}{4} \times ㉠) \Rightarrow 20 : ㉡$$

(   )

03

$$0.5 : 1.1 \Rightarrow (0.5 \times ㉠) : (1.1 \times 10) \Rightarrow ㉡ : 11$$

(   )

04

$$1\frac{4}{5} : 1.3 \Rightarrow (1\frac{4}{5} \times ㉠) : (1.3 \times 10) \Rightarrow ㉡ : 13$$

(   )

 비를 가장 간단한 자연수의 비로 나타낸 것입니다. ■에 알맞은 수를 구하시오. (05~08)

05

$$■ : 24 \Rightarrow 9 : 4$$

(   )

06

$$0.9 : ■ \Rightarrow 3 : 4$$

(   )

07

$$\frac{■}{10} : \frac{4}{15} \Rightarrow 21 : 8$$

(   )

08

$$0.8 : \frac{■}{25} \Rightarrow 5 : 3$$

(   )

직선 가와 나가 서로 평행할 때, ㉠과 ㉡의 넓이의 비를 가장 간단한 자연수의 비로 나타내시오. (09~12)

09

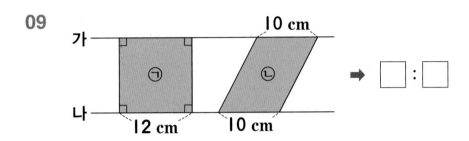

➡ ☐ : ☐

10

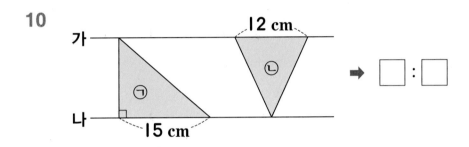

➡ ☐ : ☐

11

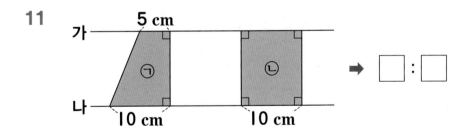

➡ ☐ : ☐

12

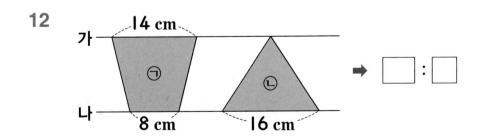

➡ ☐ : ☐

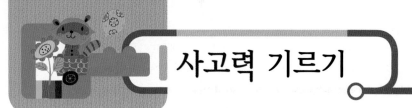
 주어진 세 비의 비율이 같습니다. ▦와 △ 안에 들어갈 수를 구하시오. (01~06)

01

$$5 : 7 \qquad ▦ : 21 \qquad 6 : △$$

▦ (   ), △ (   )

02

$$▦\frac{2}{3} : 15 \qquad 4 : 9 \qquad 10 : △$$

▦ (   ), △ (   )

03

$$9 : ▦ \qquad \frac{4}{5} : \frac{4}{9} \qquad △ : 4$$

▦ (   ), △ (   )

04

$$\frac{▦}{10} : \frac{1}{5} \qquad \frac{1}{4} : \frac{△}{6} \qquad 3 : 2$$

▦ (   ), △ (   )

05

$$\frac{1}{2} : \frac{▦}{8} \qquad 8 : 10 \qquad △ : 3.5$$

▦ (   ), △ (   )

06

$$2.25 : 2\frac{▦}{4} \qquad △ : 11 \qquad 3 : 3\frac{2}{3}$$

▦ (   ), △ (   )

㉮ : ㉯를 가장 간단한 자연수의 비로 나타내시오. (07~10)

07

$$㉮ \times 135 = ㉯ \times 108$$

➡ (　　　　　　　　　　)

08

$$㉮ \times 2.8 = ㉯ \times 3.2$$

➡ (　　　　　　　　　　)

09

$$㉮ \times 1\frac{2}{5} = ㉯ \times 1.8$$

➡ (　　　　　　　　　　)

10

$$㉮ \times 1.5 = ㉯ \times 2\frac{2}{5}$$

➡ (　　　　　　　　　　)

비를 가장 간단한 자연수의 비로 나타낸 것입니다. ■와 ▲는 두 자리 수일때 ■와 ▲의 차가 가장 큰 경우의 값을 구하시오. (11~14)

11

$$■ : ▲ ➡ 5 : 4$$

(　　　　　　　　)

12

$$■ : ▲ ➡ 8 : 15$$

(　　　　　　　　)

13

$$■ : ▲ ➡ 9 : 7$$

(　　　　　　　　)

14

$$■ : ▲ ➡ 11 : 14$$

(　　　　　　　　)

 가장 간단한 자연수의 비로 나타내려고 합니다. ☐ 안에 알맞은 수를 써넣으시오. (01~04)

01 $2.4 : 1.3$ ➡ $(2.4 \times \boxed{}) : (1.3 \times \boxed{})$ ➡ $\boxed{} : \boxed{}$

02 $\dfrac{1}{4} : \dfrac{3}{5}$ ➡ $(\dfrac{1}{4} \times \boxed{}) : (\dfrac{3}{5} \times \boxed{})$ ➡ $\boxed{} : \boxed{}$

03 $76 : 57$ ➡ $(76 \div \boxed{}) : (57 \div \boxed{})$ ➡ $\boxed{} : \boxed{}$

04 $\dfrac{3}{8} : 0.7$ ➡ $(\dfrac{3}{8} \times \boxed{}) : (\dfrac{7}{10} \times \boxed{})$ ➡ $\boxed{} : \boxed{}$

 가장 간단한 자연수의 비로 나타내시오. (05~12)

05 $6.4 : 7.2$ ➡ $\boxed{} : \boxed{}$ **06** $0.9 : 1.8$ ➡ $\boxed{} : \boxed{}$

07 $\dfrac{4}{5} : \dfrac{7}{9}$ ➡ $\boxed{} : \boxed{}$ **08** $2\dfrac{1}{8} : 1\dfrac{3}{4}$ ➡ $\boxed{} : \boxed{}$

09 $28 : 49$ ➡ $\boxed{} : \boxed{}$ **10** $125 : 100$ ➡ $\boxed{} : \boxed{}$

11 $1\dfrac{3}{4} : 1.2$ ➡ $\boxed{} : \boxed{}$ **12** $3.6 : 4\dfrac{4}{5}$ ➡ $\boxed{} : \boxed{}$

 주어진 비를 가장 간단한 자연수의 비로 나타낸 것입니다. ▨에 알맞은 수를 구하시오.

(13~16)

13
$$▨ : 21 ➡ 5 : 3$$

(   )

14
$$3.4 : ▨ ➡ 2 : 3$$

(   )

15
$$\frac{▨}{9} : \frac{3}{10} ➡ 40 : 27$$

(   )

16
$$1.8 : \frac{▨}{4} ➡ 12 : 5$$

(   )

 주어진 세 비의 비율이 같습니다. ▨와 △에 들어갈 숫자를 구하시오. (17~18)

17
$$4 : 7 \quad 3.2 : ▨ \quad 4\frac{△}{7} : 8$$

▨ (   ), △ (   )

18
$$9\frac{▨}{6} : 12\frac{1}{2} \quad 11 : 15 \quad △ : 63$$

▨ (   ), △ (   )

 비를 가장 간단한 자연수의 비로 나타낸 것입니다. ▨와 △는 세 자리 수일 때 ▨와 △의 차가 가장 큰 경우의 값을 구하시오. (19~20)

19
$$▨ : △ ➡ 25 : 19$$

(   )

20
$$▨ : △ ➡ 35 : 53$$

(   )

11 비례식 알아보기

개념

- 비율이 같은 두 비를 기호 =를 사용하여 나타낸 식을 비례식이라고 합니다.
- 비례식에서 바깥에 있는 두 항을 외항, 안쪽에 있는 두 항을 내항이라고 합니다.
- 비례식에서 외항의 곱과 내항의 곱은 같습니다.

$$4 : 5 = 8 : 10$$

외항

내항

외항의 곱 : $4 \times 10 = 40$

내항의 곱 : $5 \times 8 = 40$

 □ 안에 알맞은 수를 써넣으시오. (01~06)

01

$3 : 4 = 15 : 20$

외항 : □ , □
내항 : □ □

02

$25 : 15 = 5 : 3$

외항 : □ , □
내항 : □ □

03

$7 : 11 = 49 : 77$

외항 : □ , □
내항 : □ , □

04

$52 : 39 = 4 : 3$

외항 : □ , □
내항 : □ , □

05

$13 : 5 = 65 : 25$

외항 : □ , □
내항 : □ , □

06

$27 : 42 = 9 : 14$

외항 : □ , □
내항 : □ , □

비례식의 성질을 이용하여 ☐ 안에 알맞은 수를 써넣으시오. (07~22)

07 ☐ : 5 = 24 : 20

08 12 : 16 = ☐ : 4

09 16 : ☐ = 48 : 45

10 169 : 143 = 13 : ☐

11 ☐ : 8 = 3.6 : 3.2

12 1.2 : 0.8 = ☐ : 2

13 8 : ☐ = 2.4 : 1.8

14 1.6 : 0.8 = 10 : ☐

15 ☐ : $\frac{2}{3}$ = 21 : 2

16 $2\frac{3}{4}$: $3\frac{2}{3}$ = ☐ : 4

17 20 : ☐ = $3\frac{1}{2}$: $1\frac{2}{5}$

18 $1\frac{4}{5}$: $3\frac{3}{5}$ = $6\frac{1}{2}$: ☐

19 ☐ : 6 = $2\frac{2}{5}$: 1.8

20 2.5 : $3\frac{1}{3}$ = ☐ : 4

21 2 : ☐ = $1\frac{3}{5}$: 2.4

22 $\frac{9}{10}$: 2.4 = 3 : ☐

두 비율을 보고 비례식으로 나타내시오. (01~03)

01

$$\frac{7}{8} = \frac{35}{40}$$

➡ (   )

02

$$\frac{3}{5} = \frac{51}{85}$$

➡ (   )

03

$$\frac{180}{195} = \frac{12}{13}$$

➡ (   )

다음 조건에 맞게 비례식을 완성하시오. (04~06)

04

- 비례식의 비율은 $\frac{4}{5}$입니다.
- 비례식에서 두 외항의 곱은 **80**입니다.

➡ ☐ : 5 = ☐ : ☐

05

- 비례식의 비율은 $\frac{5}{7}$입니다.
- 비례식에서 두 내항의 곱은 **280**입니다.

➡ 10 : ☐ = ☐ : ☐

06

- 비례식의 비율은 $\frac{4}{9}$입니다.
- 비례식에서 두 외항의 곱은 **216**입니다.

➡ ☐ : 13.5 = ☐ : ☐

□ 안에 알맞은 수를 써넣으시오. (07~12)

07 $20:(10+\boxed{})=4:3$

08 $8:10=(6+\boxed{}):15$

09 $(20+\boxed{}):32=3:4$

10 $7:3=21:(12-\boxed{})$

11 $5:(\boxed{}+7)=20:52$

12 $5:7=(\boxed{}+5):35$

 비례식에서 ■와 ▲의 합을 구하시오. (13~15)

13

$$45:35=9:■ \qquad ▲:8=15:24$$

(   )

14

$$■:5=33:15 \qquad 18:▲=6:8$$

(   )

15

$$7:■=4.9:2.8 \qquad 15:4=▲:\frac{2}{5}$$

(   )

비례식에서 ▨ 안에 들어갈 수 있는 수를 구하시오. (01~04)

01

$$㉠ : ㉡ = 1 : 5 \qquad ㉠ : ▨ = ㉡ : 35$$

( )

02

$$㉠ : ㉡ = 2 : 3 \qquad ㉠ : ▨ = ㉡ : 12$$

( )

03

$$㉠ : ㉡ = 8 : 6 \qquad ㉠ : 12 = ㉡ : ▨$$

( )

04

$$㉠ : ㉡ = 4 : 10 \qquad ㉠ : 16 = ㉡ : ▨$$

( )

 ㉠, ㉡, ㉢ 세 그릇의 들이의 비를 나타낸 것입니다. 물음에 답하시오. (05~06)

$$㉠ : ㉡ = \frac{1}{5} : \frac{1}{4} \qquad ㉡ : ㉢ = 4 : 7$$

05 ㉠ 그릇의 들이가 16 L일 때, ㉢ 그릇의 들이는 몇 L입니까?

( )

06 ㉢ 그릇의 들이가 70 L일 때, ㉠ 그릇의 들이는 몇 L입니까?

( )

다음 수 카드 중에서 4장을 골라 비례식을 만들려고 합니다. 만들 수 있는 비례식을 모두 만들어 보시오. (07~08)

07

| 3 | 15 | 6 | 5 | 20 | 9 |

☐ : ☐ = ☐ : ☐   ☐ : ☐ = ☐ : ☐

☐ : ☐ = ☐ : ☐   ☐ : ☐ = ☐ : ☐

☐ : ☐ = ☐ : ☐   ☐ : ☐ = ☐ : ☐

☐ : ☐ = ☐ : ☐   ☐ : ☐ = ☐ : ☐

08

| 9 | 28 | 7 | 36 | 11 | 33 |

☐ : ☐ = ☐ : ☐   ☐ : ☐ = ☐ : ☐

☐ : ☐ = ☐ : ☐   ☐ : ☐ = ☐ : ☐

☐ : ☐ = ☐ : ☐   ☐ : ☐ = ☐ : ☐

☐ : ☐ = ☐ : ☐   ☐ : ☐ = ☐ : ☐

실력 점검

 ☐ 안에 알맞은 수를 써넣으시오. (01~04)

01
$$5 : 9 = 20 : 36$$

외항 : ☐ , ☐

내항 : ☐ , ☐

02
$$6 : 7 = 36 : 42$$

외항 : ☐ , ☐

내항 : ☐ , ☐

03
$$22 : 26 = 11 : 13$$

외항 : ☐ , ☐

내항 : ☐ , ☐

04
$$42 : 84 = 3 : 6$$

외항 : ☐ , ☐

내항 : ☐ , ☐

 비례식의 성질을 이용하여 ☐ 안에 알맞은 수를 써넣으시오. (05~12)

05 ☐ $: 8 = 15 : 24$

06 $7 : 12 =$ ☐ $: 96$

07 $16 :$ ☐ $= 24 : 21$

08 $28 : 32 = 49 :$ ☐

09 ☐ $: 1.2 = 5 : 2$

10 $1.2 : 1.8 =$ ☐ $: 12$

11 $36 :$ ☐ $= 0.2 : \dfrac{1}{15}$

12 $0.5 : 4\dfrac{1}{6} = \dfrac{3}{5} :$ ☐

 두 비율을 보고 비례식으로 나타내시오. (13~14)

13

$$\frac{4}{5} = \frac{48}{60}$$

(   )

14

$$\frac{117}{182} = \frac{9}{14}$$

(   )

 ☐ 안에 알맞은 수를 써넣으시오. (15~18)

15 $18 : (15 + \boxed{}) = 6 : 8$

16 $(20 - \boxed{}) : 20 = 4 : 5$

17 $64 : 72 = (10 - \boxed{}) : 9$

18 $48 : 40 = 12 : (\boxed{} + 3)$

㉮, ㉯, ㉰ 세 그릇의 들이의 비를 나타낸 것입니다. 물음에 답하시오. (19~20)

$$㉮ : ㉯ = 7 : 4 \qquad ㉯ : ㉰ = 3 : 4.5$$

19 ㉮ 그릇의 들이가 28 L일 때, ㉰ 그릇의 들이는 몇 L입니까?

(   )

20 ㉰ 그릇의 들이가 36 L일 때, ㉮ 그릇의 들이는 몇 L입니까?

(   )

12 비례배분 알아보기

전체를 주어진 비로 배분하는 것을 비례배분이라고 합니다.

전체 ■를 가 : 나 = ★ : ▲로 비례배분하기

$$가 = ■ \times \frac{★}{★+▲} \qquad 나 = ■ \times \frac{▲}{★+▲}$$

㉠ 사탕 10개를 영수와 민수가 2 : 3으로 비례배분하면

$$(영수) = 10 \times \frac{2}{2+3} = 4(개) \qquad (민수) = 10 \times \frac{3}{2+3} = 6(개)$$

그림을 보고 비례배분을 하려고 합니다. ☐ 안에 알맞은 수를 써넣으시오. (01~03)

01

900

4   5

$$900 \times \frac{4}{4+5} = \boxed{} \qquad 900 \times \frac{5}{4+5} = \boxed{}$$

02

800

3   7

$$800 \times \frac{3}{3+\boxed{}} = \boxed{} \qquad 800 \times \frac{7}{3+\boxed{}} = \boxed{}$$

03

560

4   3

$$560 \times \frac{\boxed{}}{4+3} = \boxed{} \qquad 560 \times \frac{\boxed{}}{4+3} = \boxed{}$$

04 주스 320 mL를 영수와 웅이가 **5 : 3**의 비로 나누어 마시려고 합니다. 영수와 웅이는 주스를 각각 몇 mL씩 마시면 됩니까?

$$(영수) = 320 \times \dfrac{\boxed{}}{5 + \boxed{}} = \boxed{} (mL)$$

$$(웅이) = 320 \times \dfrac{\boxed{}}{\boxed{} + 3} = \boxed{} (mL)$$

 안의 수를 주어진 비로 비례배분하여 ( ) 안에 써넣으시오. (05~12)

05 | 70 | 3 : 2

➡ (,   )

06 | 98 | 4 : 3

➡ (,   )

07 | 136 | 3 : 5

➡ (,   )

08 | 450 | 4 : 5

➡ (,   )

09 | 104 | 7 : 6

➡ (,   )

10 | 240 | 2 : 3

➡ (,   )

11 | 280 | 4 : 3

➡ (,   )

12 | 143 | 6 : 7

➡ (,   )

 □ 안에 알맞은 수를 써넣으시오. (01~03)

01 24를 □ : 5로 비례배분하면 **9, 15**입니다.

02 42를 4 : □ 으로 비례배분하면 **24, 18**입니다.

03 48을 □ : 7로 비례배분하면 **20, 28**입니다.

 수직선에서 ㉮와 ㉯의 길이의 비가 다음과 같을 때 ㉮의 길이와 ㉯의 길이를 각각 구하시오.
(04~05)

04

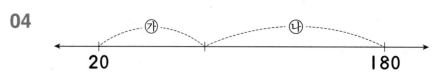

㉮와 ㉯의 비	㉮의 길이	㉯의 길이
3 : 5		

05

㉮와 ㉯의 비	㉮의 길이	㉯의 길이
7 : 9		

비례배분을 이용하여 ▨와 ▲에 알맞은 수를 구하시오. (06~09)

06

$$▨+▲=45 \qquad ▨×\frac{1}{4}=▲×\frac{1}{5}$$

(1) ▨와 ▲의 비를 가장 간단한 자연수의 비로 나타내시오.

(   )

(2) ▨와 ▲에 알맞은 수를 구하시오.

▨ (   ), ▲ (   )

07

$$▨+▲=75 \qquad ▨×\frac{3}{5}=▲×\frac{2}{5}$$

▨ (   ), ▲ (   )

08

$$▨+▲=121 \qquad ▨×\frac{5}{8}=▲×\frac{3}{4}$$

▨ (   ), ▲ (   )

09

$$▨+▲=164 \qquad ▨×\frac{3}{4}=▲×\frac{5}{7}$$

▨ (   ), ▲ (   )

 둘레가 40 cm인 직사각형이 있습니다. 이 직사각형의 가로와 세로의 비가 다음과 같을 때 빈 곳에 알맞은 수를 써넣으시오. **(01~02)**

01

$2 : 3$ →

가로(cm)	
세로(cm)	
넓이(cm^2)	

02

$7 : 3$ →

가로(cm)	
세로(cm)	
넓이(cm^2)	

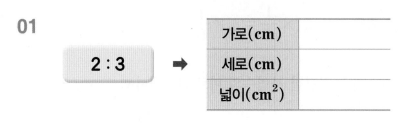 넓이가 216 cm^2인 직사각형이 있습니다. 이 직사각형의 가로와 세로의 비가 다음과 같을 때 빈 곳에 알맞은 수를 써넣으시오. **(03~04)**

03

$2 : 3$ →

가로(cm)	
세로(cm)	
둘레(cm)	

04

$3 : 8$ →

가로(cm)	
세로(cm)	
둘레(cm)	

05 저금통 안에 50원짜리 동전과 100원짜리 동전이 합하여 모두 45개 있습니다. 50원짜리 동전의 금액의 합과 100원짜리 동전의 금액의 합의 비가 5 : 8일 때, 물음에 답하시오.

(1) 50원짜리 동전의 개수와 100원짜리 동전의 개수의 비를 가장 간단한 자연수의 비로 나타내시오.

(   )

(2) 50원짜리 동전의 개수와 100원짜리 동전의 개수를 구하시오.

50원 (   )

100원 (   )

(3) 저금통 안에 있는 동전의 금액의 합은 얼마입니까?

(   )

06 저금통 안에 100원짜리 동전과 500원짜리 동전이 합하여 모두 60개 있습니다. 100원짜리 동전의 금액의 합과 500원짜리 동전의 금액의 합의 비가 9 : 5일 때, 물음에 답하시오.

(1) 100원짜리 동전의 개수와 500원짜리 동전의 개수의 비를 가장 간단한 자연수의 비로 나타내시오.

(   )

(2) 100원짜리 동전의 개수와 500원짜리 동전의 개수를 구하시오.

100원 (   )

500원 (   )

(3) 저금통 안에 있는 동전의 금액의 합은 얼마입니까?

(   )

01 그림을 보고 비례배분을 하려고 합니다. □ 안에 알맞은 수를 써넣으시오.

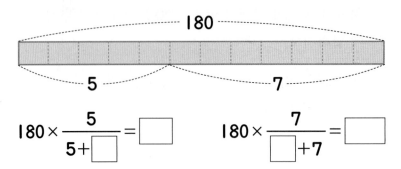

$$180 \times \frac{5}{5+\square} = \square \qquad 180 \times \frac{7}{\square + 7} = \square$$

02 우유 480 mL를 지혜와 가영이가 7 : 9의 비로 나누어 마시려고 합니다. 지혜와 가영이는 우유를 각각 몇 mL씩 마시면 됩니까?

$$(지혜) = 480 \times \frac{\square}{7+9} = \square \, (mL)$$

$$(가영) = 480 \times \frac{\square}{7+9} = \square \, (mL)$$

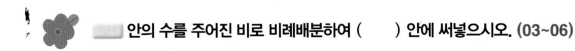 안의 수를 주어진 비로 비례배분하여 ( ) 안에 써넣으시오. (03~06)

03 88   4 : 7

➡ (,   )

04 98   5 : 2

➡ (,   )

05 128   11 : 5

➡ (,   )

06 360   8 : 7

➡ (,   )

07 □ 안에 알맞은 수를 써넣으시오.

> **72**를 **3** : □ 의 비로 비례배분을 하면 **27**, **45**입니다.

08 수직선에서 ㉮와 ㉯의 길이의 비가 다음과 같을 때 ㉮의 길이와 ㉯의 길이를 각각 구하시오.

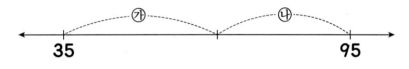

㉮와 ㉯의 비	㉮의 길이	㉯의 길이
8 : 7		

09 비례배분을 이용하여 ■와 ▲에 알맞은 수를 구하시오.

> ■ + ▲ = 200   ■ × $\frac{1}{2}$ = ▲ × $\frac{5}{6}$

■ (   ), ▲ (   )

10 둘레가 102 cm인 직사각형이 있습니다. 이 직사각형의 가로와 세로의 길이의 비가 9 : 8일 때, 넓이는 몇 cm²입니까?

(   )

13 원주 구하기

$$(\text{원주율}) = (\text{원주}) \div (\text{지름}) \Rightarrow (\text{원주}) = (\text{지름}) \times (\text{원주율})$$
$$= (\text{반지름}) \times 2 \times (\text{원주율})$$

예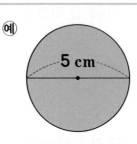

5 cm

$$(\text{원주}) = (\text{지름}) \times (\text{원주율})$$
$$= 5 \times 3.1$$
$$= 15.5 (\text{cm})$$

원주율 : 3.1

원주를 구하려고 합니다. ☐ 안에 알맞은 수를 써넣으시오. (01~03)

01

8 cm

➡ $(\text{원주}) = \boxed{} \times 3 = \boxed{} (\text{cm})$

원주율 : 3

02

6 cm

➡ $(\text{원주}) = \boxed{} \times \boxed{} \times 3.1 = \boxed{} (\text{cm})$

원주율 : 3.1

03

7 cm

➡ $(\text{원주}) = \boxed{} \times \boxed{} \times 3.14 = \boxed{} (\text{cm})$

원주율 : 3.14

원주를 구하시오. (원주율 : 3.1) (04~09)

04

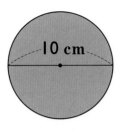

10 cm

(   )

05

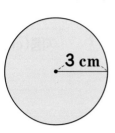

3 cm

(   )

06

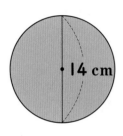

14 cm

(   )

07

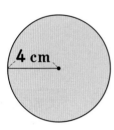

4 cm

(   )

08

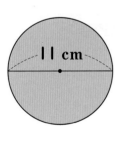

11 cm

(   )

09

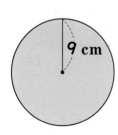

9 cm

(   )

 원주를 구하시오. (원주율 : 3.14) (10~11)

10

지름이 **24 cm**인 원

(   )

11

반지름이 **15 cm**인 원

(   )

사고력 기르기

 지름, 반지름, 원주, 원주율의 관계를 나타낸 표입니다. 표를 완성하시오. (01~06)

01

지름(cm)	반지름(cm)	원주(cm)	원주율
		36	3

02

지름(cm)	반지름(cm)	원주(cm)	원주율
16		48	

03

지름(cm)	반지름(cm)	원주(cm)	원주율
		24.8	3.1

04

지름(cm)	반지름(cm)	원주(cm)	원주율
14		43.4	

05

지름(cm)	반지름(cm)	원주(cm)	원주율
		56.52	3.14

06

지름(cm)	반지름(cm)	원주(cm)	원주율
20		62.8	

원 ㉠의 원주는 원 ㉡의 원주의 몇 배인지 구하시오. (07~09)

07

| ㉠ 반지름이 **8 cm**인 원 | ㉡ 지름이 **12 cm**인 원 |

( )

08

| ㉠ 지름이 **10 cm**인 원 | ㉡ 반지름이 **6 cm**인 원 |

( )

09

| ㉠ 반지름이 **15 cm**인 원 | ㉡ 지름이 **20 cm**인 원 |

( )

 원주가 다음과 같은 원 모양의 물건을 밑면이 정사각형 모양의 상자에 담으려고 합니다. 상자의 밑면의 한 변의 길이는 적어도 몇 cm보다 커야 하는지 구하시오. (원주율 : 3.14)

(10~15)

10

원주 : **31.4 cm**

( )

11

원주 : **47.1 cm**

( )

12

원주 : **62.8 cm**

( )

13

원주 : **94.2 cm**

( )

14

원주 : **56.52 cm**

( )

15

원주 : **87.92 cm**

( )

사고력 기르기

색칠한 부분의 둘레는 몇 cm인지 구하시오. (원주율 : 3.1) (01~04)

01

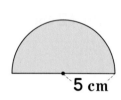

5 cm

(   )

02

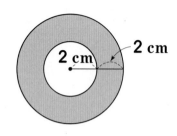

2 cm   2 cm

(   )

03

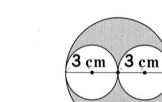

3 cm   3 cm

(   )

04

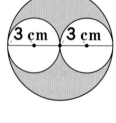

4 cm
4 cm

(   )

색칠한 부분의 둘레는 몇 cm인지 구하시오. (원주율 : 3.14) (05~08)

05

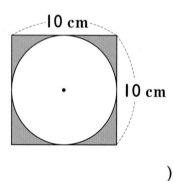

10 cm
10 cm

(   )

06

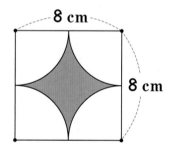

8 cm
8 cm

(   )

07

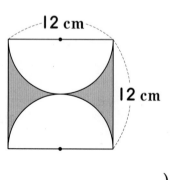

12 cm
12 cm

(   )

08

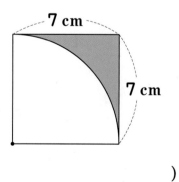

7 cm
7 cm

(   )

09 오른쪽 그림과 같이 삼각형의 각 꼭짓점을 원의 중심으로 하여 반지름이 **7 cm**인 원을 그렸습니다. 빨간색 선의 길이의 합은 몇 **cm**입니까?

(원주율 : **3**)

(   )

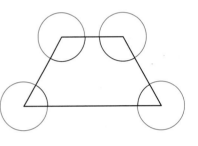

10 오른쪽 그림과 같이 사각형의 각 꼭짓점을 원의 중심으로 하여 반지름이 **9 cm**인 원을 그렸습니다. 빨간색 선의 길이의 합은 몇 **cm**입니까?

(원주율 : **3.1**)

(   )

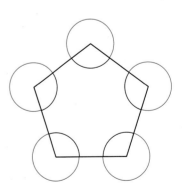

11 오른쪽 그림과 같이 오각형의 각 꼭짓점을 원의 중심으로 하여 반지름이 **10 cm**인 원을 그렸습니다. 빨간색 선의 길이의 합은 몇 **cm**입니까?

(원주율 : **3.14**)

(   )

01 원주를 구하려고 합니다. □ 안에 알맞은 수를 써넣으시오. (원주율 : **3**)

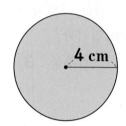

(원주) = □ × □ × **3**

= □ (cm)

 원주를 구하시오. (원주율 : 3.1) (02~05)

02

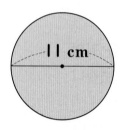

11 cm

(   )

03

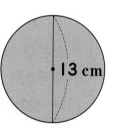

13 cm

(   )

04

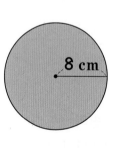

8 cm

(   )

05

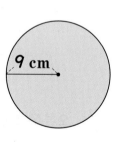

9 cm

(   )

 원주를 구하시오. (원주율 : 3.14) (06~07)

06 | 지름이 **30** cm인 원 |

(   )

07 | 반지름이 **13** cm인 원 |

(   )

08 지름, 반지름, 원주, 원주율의 관계를 나타낸 표입니다. 표를 완성하시오.

지름(cm)	반지름(cm)	원주(cm)	원주율
		75.36	3.14

09 반지름이 10 cm인 원의 원주는 지름이 14 cm인 원의 원주의 몇 배입니까?

(   )

10 원주가 77.5 cm인 원 모양의 물건을 밑면이 정사각형 모양의 상자에 담으려고 합니다. 상자의 밑면의 한 변의 길이는 적어도 몇 cm보다 커야 합니까?

(원주율 : 3.1)

(   )

 색칠한 부분의 둘레는 몇 cm인지 구하시오. (원주율 : 3.14) (11~12)

11

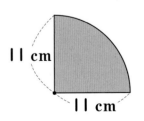

11 cm

11 cm

(   )

12

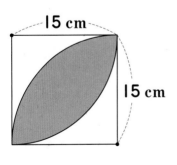

15 cm

15 cm

(   )

14 원의 넓이 구하기

개념

$$(원의 넓이) = (원주의 \frac{1}{2}) \times (반지름)$$

$$= (지름) \times (원주율) \times \frac{1}{2} \times (반지름)$$

$$= (반지름) \times (반지름) \times (원주율)$$

(예)

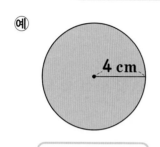

4 cm

원주율 : 3.1

$$(원의 넓이) = (반지름) \times (반지름) \times (원주율)$$
$$= 4 \times 4 \times 3.1$$
$$= 49.6 (cm^2)$$

원의 넓이를 구하려고 합니다. ☐ 안에 알맞은 수를 써넣으시오. (01~03)

01

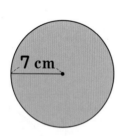

5 cm

원주율 : 3

➡ $(넓이) = \boxed{} \times \boxed{} \times 3$

$= \boxed{} (cm^2)$

02

7 cm

원주율 : 3.1

➡ $(넓이) = \boxed{} \times \boxed{} \times 3.1$

$= \boxed{} (cm^2)$

03

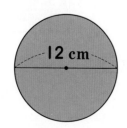

12 cm

원주율 : 3.14

➡ $(넓이) = \boxed{} \times \boxed{} \times 3.14$

$= \boxed{} (cm^2)$

원의 넓이를 구하시오. (원주율 : 3.1) (04~09)

04

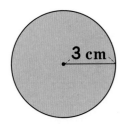

3 cm

(   )

05

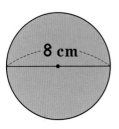

8 cm

(   )

06

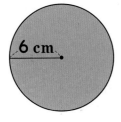

6 cm

(   )

07

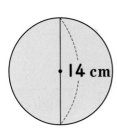

14 cm

(   )

08

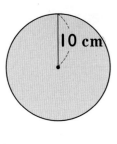

10 cm

(   )

09

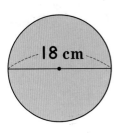

18 cm

(   )

 원의 넓이를 구하시오. (원주율 : 3.14) (10~11)

10

반지름이 11 cm인 원

(   )

11

지름이 16 cm인 원

(   )

 지름, 반지름, 넓이, 원주율의 관계를 나타낸 표입니다. 표를 완성하시오. (01~06)

01

지름(cm)	반지름(cm)	넓이(cm^2)	원주율
		432	3

02

지름(cm)	반지름(cm)	넓이(cm^2)	원주율
18		243	

03

지름(cm)	반지름(cm)	넓이(cm^2)	원주율
		111.6	3.1

04

지름(cm)	반지름(cm)	넓이(cm^2)	원주율
20		310	

05

지름(cm)	반지름(cm)	넓이(cm^2)	원주율
		200.96	3.14

06

지름(cm)	반지름(cm)	넓이(cm^2)	원주율
30		706.5	

원 ㉠의 넓이는 원 ㉡의 넓이의 몇 배인지 구하시오. (07~09)

07

㉠ 반지름이 **4 cm**인 원   ㉡ 지름이 **6 cm**인 원

(   )

08

㉠ 지름이 **10 cm**인 원   ㉡ 반지름이 **7 cm**인 원

(   )

09

㉠ 지름이 **16 cm**인 원   ㉡ 지름이 **20 cm**인 원

(   )

 주어진 정사각형 안에 꼭맞게 들어가는 원의 넓이를 구하시오. (원주율 : **3.14**) (10~12)

10

둘레가 **40 cm**인 정사각형

(   )

11

둘레가 **56 cm**인 정사각형

(   )

12

둘레가 **72 cm**인 정사각형

(   )

사고력 기르기

 색칠한 부분의 넓이를 구하시오. (원주율 : 3.1) (01~04)

01

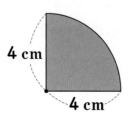

4 cm

4 cm

(   )

02

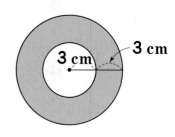

3 cm

3 cm

(   )

03

2 cm

(   )

04

8 cm

(   )

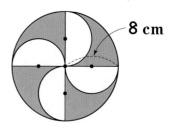 색칠한 부분의 넓이를 구하시오. (원주율 : 3.14) (05~08)

05

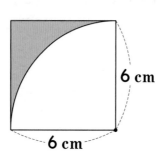

6 cm

6 cm

(   )

06

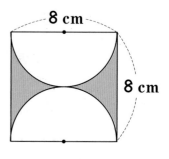

8 cm

8 cm

(   )

07

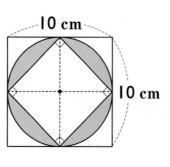

10 cm

10 cm

(   )

08

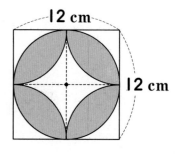

12 cm

12 cm

(   )

09 오른쪽 그림과 같이 삼각형의 각 꼭짓점을 원의 중심으로 하여 반지름이 5 cm인 원을 그렸습니다. 색칠한 부분의 넓이의 합은 몇 cm²입니까?

(원주율 : 3)

(   )

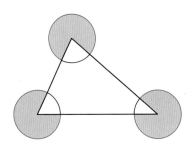

10 오른쪽 그림과 같이 사각형의 각 꼭짓점을 원의 중심으로 하여 반지름이 12 cm인 원을 그렸습니다. 색칠한 부분의 넓이의 합은 몇 cm²입니까?

(원주율 : 3.1)

(   )

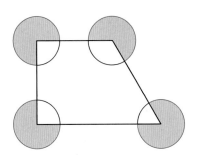

11 오른쪽 그림과 같이 오각형의 각 꼭짓점을 원의 중심으로 하여 반지름이 10 cm인 원을 그렸습니다. 색칠한 부분의 넓이의 합은 몇 cm²입니까?

(원주율 : 3.14)

(   )

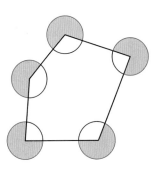

실력 점검

01 원의 넓이를 구하려고 합니다. □ 안에 알맞은 수를 써넣으시오. (원주율 : **3**)

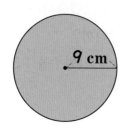

9 cm

(넓이)= □ × □ ×**3**

= □ (cm²)

 원의 넓이를 구하시오. (원주율 : **3.1**) (02~05)

02

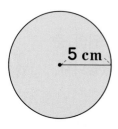

5 cm

(   )

03

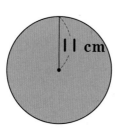

11 cm

(   )

04

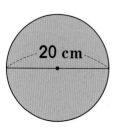

20 cm

(   )

05

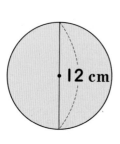

•12 cm

(   )

원의 넓이를 구하시오. (원주율 : **3.14**) (06~07)

06 반지름이 **15 cm**인 원

(   )

07 지름이 **28 cm**인 원

(   )

08 지름, 반지름, 넓이, 원주율의 관계를 나타낸 표입니다. 표를 완성하시오.

지름(cm)	반지름(cm)	넓이(cm²)	원주율
		530.66	3.14

09 반지름이 **8 cm**인 원의 넓이는 반지름이 **4 cm**인 원의 넓이의 몇 배입니까?

(   )

10 둘레가 **96 cm**인 정사각형 안에 꼭맞게 들어가는 원의 넓이는 몇 **cm²**입니까?
(원주율 : **3.14**)

(   )

 색칠한 부분의 넓이를 구하시오. (원주율 : 3.1) (11~12)

11

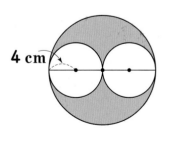

4 cm

(   )

12

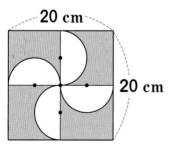

20 cm

20 cm

(   )

Memo

정답 및 해설

6학년 _{하권}

개념 01 분모가 같은 (진분수)÷(진분수) 알아보기 | 4쪽

01 4, 2, 4, 2, 2

02 3, 7, 3, 7, $\frac{3}{7}$

03 5, 3, 5, 3, $\frac{5}{3}$, $1\frac{2}{3}$

04 8, 2, 4

05 12, 4, 3

06 5, 7, $\frac{5}{7}$

07 8, 11, $\frac{8}{11}$

08 8, 5, $\frac{8}{5}$, $1\frac{3}{5}$

09 13, 6, $\frac{13}{6}$, $2\frac{1}{6}$

10 3

11 2

12 3

13 9

14 $\frac{4}{7}$

15 $\frac{8}{13}$

16 $3\frac{3}{4}$

17 $1\frac{4}{7}$

18 $1\frac{6}{11}$

19 $2\frac{2}{9}$

사고력 기르기 Step 1 | 6쪽

01 2

02 8

03 5

04 3

05 11

06 9

07 4

08 13

09 2, 9

10 5, 13

11 9, 4

12 $\frac{8}{9}$, $\frac{5}{9}$ / $\frac{8}{10}$, $\frac{5}{10}$ / $\frac{8}{11}$, $\frac{5}{11}$

13 $\frac{9}{12}$, $\frac{11}{12}$ / $\frac{9}{13}$, $\frac{11}{13}$ / $\frac{9}{14}$, $\frac{11}{14}$

14 1, 2, 4, 8

15 1, 2, 4, 8, 16

16 3, 6, 9, 12, 15

17 4, 8, 12, 16, 20

01 $\frac{4}{5} \div \frac{\square}{5} = 4 \div \square = 2 \Rightarrow \square = 2$

03 $\frac{2}{7} \div \frac{\square}{7} = 2 \div \square = \frac{2}{\square} = \frac{2}{5} \Rightarrow \square = 5$

07 $\frac{9}{11} \div \frac{\square}{11} = 9 \div \square = \frac{9}{\square} = \frac{9}{4} \Rightarrow \square = 4$

09 $\frac{■}{5} \div \frac{3}{5} = \frac{■}{3} = \frac{2}{3}$ 에서 ■=2입니다.

$\frac{▲}{11} \div \frac{2}{11} = \frac{▲}{2} = 4\frac{1}{2} = \frac{9}{2}$ 에서 ▲=9입니다.

14 $\frac{8}{9} \div \frac{■}{9} = 8 \div ■ =$ (자연수)이므로 ■가 될 수 있는 자연수는 8의 약수입니다. ➡ 1, 2, 4, 8

16 $\frac{■}{16} \div \frac{3}{16} = ■ \div 3 =$ (자연수)이므로 ■가 될 수 있는 자연수는 16보다 작은 수 중에서 3의 배수인 수입니다.
➡ 3, 6, 9, 12, 15

사고력 기르기 Step 2 | 8쪽

01 1, 2, 3

02 11, 12

03 1, 2, 3, 4

04 7, 8, 9, 10

05 15, 16

06 1, 2, 3, 4

07 3, 2

08 3, 12

09 6, 3, 2, 1 / 8, 4, 2, 1

10 6, 3, 2, 1 / 8, 4, 2, 1 / 10, 5, 2, 1

11 6, 3, 2, 1 / 12, 3, 2, 2 / 8, 4, 2, 1 /
   10, 5, 2, 1 / 12, 6, 2, 1 / 12, 4, 3, 1

01 $\frac{8}{9} \div \frac{■}{9} = 8 \div ■ > 2$ 이므로 ■가 될 수 있는 자연수는 1, 2, 3입니다.

03 $\frac{11}{15} \div \frac{■}{15} = 11 \div ■ = \frac{11}{■} > \frac{11}{5}$ 이므로 ■가 될 수 있는 자연수는 1, 2, 3, 4입니다.

05 $\frac{■}{17} \div \frac{6}{17} = \frac{■}{6} > \frac{7}{3} = \frac{14}{6}$ 이므로 ■가 될 수 있는 자연수는 15, 16입니다.

07 $\frac{2}{■} = \frac{6}{9}$ 에서 ■=3이고 $\frac{▲}{3} = \frac{6}{9}$ 에서 ▲=2입니다.

08 $\frac{5}{\square} = \frac{15}{9}$ 에서 $\square$=3이고 $\frac{20}{\triangle} = \frac{15}{9}$ 에서 $\triangle$=12입니다.

20 $\frac{\square}{4} = \frac{12}{8}$ 에서 $\square$=6이고 $\frac{3}{\triangle} = \frac{12}{8}$ 에서 $\triangle$=2입니다.

실력 점검

| 10쪽

01 9, 3, 9, 3, 3
02 7, 2, 7, 2, $\frac{7}{2}$, $3\frac{1}{2}$

03 15, 5, 3   04 7, 17, $\frac{7}{17}$

05 4   06 6

07 $\frac{3}{7}$ 08 $\frac{4}{9}$

09 $\frac{11}{14}$ 10 $\frac{5}{11}$

11 $3\frac{1}{2}$ 12 $2\frac{1}{5}$

13 $1\frac{6}{11}$ 14 $3\frac{3}{7}$

15 4, 14   16 8, 10
17 1, 2, 7, 14   18 5, 10, 15
19 7, 9   20 6, 2

15 $\frac{\square}{6} = \frac{2}{3}$ 에서 $\square$=4이고 $\frac{\triangle}{\square} = \frac{\triangle}{4} = \frac{7}{2}$ 에서 $\triangle$=14입니다.

16 $\frac{14}{\square} = \frac{7}{4}$ 에서 $\square$=8이고 $\frac{\square}{\triangle} = \frac{8}{\triangle} = \frac{4}{5}$ 에서 $\triangle$=10입니다.

17 $\square$가 될 수 있는 자연수는 14의 약수입니다.
➡ 1, 2, 7, 14

18 $\square$가 될 수 있는 자연수는 17보다 작은 5의 배수입니다. ➡ 5, 10, 15

19 $\frac{3}{\square} = \frac{6}{14}$ 에서 $\square$=7이고 $\frac{\triangle}{21} = \frac{6}{14}$ 에서 $\triangle$=9입니다.

개념 02 분모가 다른 (진분수)÷(진분수) 알아보기
| 12쪽

01 2   02 4

03 24, 35, 24, 35, $\frac{24}{35}$

04 16, 15, 16, 15, $\frac{16}{15}$, $1\frac{1}{15}$

05 3, $\frac{9}{10}$ 06 5, $\frac{10}{21}$

07 9, $\frac{27}{8}$, $3\frac{3}{8}$ 08 13, $\frac{39}{20}$, $1\frac{19}{20}$

09 $1\frac{1}{14}$ 10 $\frac{15}{16}$

11 $\frac{5}{12}$ 12 $1\frac{1}{5}$

13 $\frac{9}{14}$ 14 $\frac{4}{5}$

15 $\frac{16}{25}$ 16 $1\frac{31}{32}$

17 $1\frac{11}{24}$ 18 $\frac{3}{4}$

사고력 기르기
Step 1 | 14쪽

01 2   02 3
03 5   04 4
05 8   06 2

07 $\frac{3}{4}$, $\frac{1}{7}$, $5\frac{1}{4}$ 08 $\frac{4}{5}$, $\frac{2}{9}$, $3\frac{3}{5}$

09 $\frac{5}{6}$, $\frac{4}{15}$, $3\frac{1}{8}$ 10 $\frac{95}{96}$ 배

11 $1\frac{1}{50}$ 배

12 6, 12, 2 / 6, 18, 3 / 7, 14, 2 / 8, 16, 2 /
9, 18, 2

13 4, 8, 1 / 4, 16, 2 / 5, 10, 1 / 6, 12, 1 /
7, 14, 1 / 8, 16, 1 / 9, 18, 1

10 분자는 1씩 커지고, 분모는 2씩 커지는 규칙이므로 15번째 분수는 $\frac{15}{32}$, 18번째 분수는 $\frac{18}{38}$입니다.

➡ $\frac{15}{32} \div \frac{18}{38} = \frac{15}{32} \times \frac{38}{18} = \frac{95}{96}$(배)

11 분자는 2씩 커지고, 분모는 7씩 커지는 규칙이므로 15번째 분수는 $\frac{34}{105}$, 18번째 분수는 $\frac{40}{126}$입니다.

➡ $\frac{34}{105} \div \frac{40}{126} = \frac{34}{105} \times \frac{126}{40}$
$= 1\frac{1}{50}$(배)

사고력 기르기
Step 2 | 16쪽

01 4개 　　**02** 3개
03 4개 　　**04** 6개
05 1, 3, 2
06 1, 5, 6 / 1, 10, 12 / 2, 5, 3 / 2, 10, 6 /
3, 5, 2 / 3, 10, 4 / 4, 10, 3 / 6, 10, 2
07 $\frac{3}{4}$, $\frac{2}{5}$, $1\frac{7}{8}$ / $\frac{2}{5}$, $\frac{3}{4}$, $\frac{8}{15}$
08 $\frac{6}{7}$, $\frac{5}{8}$, $1\frac{13}{35}$ / $\frac{5}{8}$, $\frac{6}{7}$, $\frac{35}{48}$
09 $\frac{5}{7}$, $\frac{3}{9}$, $2\frac{1}{7}$ / $\frac{3}{9}$, $\frac{5}{7}$, $\frac{7}{15}$

01 $\frac{1}{3} \div \frac{\blacksquare}{24} = \frac{8}{24} \div \frac{\blacksquare}{24} = 8 \div \blacksquare$가 자연수이므로
■ 안에는 8의 약수가 들어가야 합니다.
➡ 8의 약수 : 1, 2, 4, 8(4개)

실력 점검
| 18쪽

01 15, 28, $\frac{15}{28}$ 　　**02** 8, 3, $\frac{8}{3}$, $2\frac{2}{3}$
03 3, $\frac{15}{16}$ 　　**04** 7, $\frac{21}{20}$, $1\frac{1}{20}$
05 $3\frac{1}{3}$ 　　**06** $1\frac{1}{2}$
07 $1\frac{1}{6}$ 　　**08** $1\frac{1}{2}$
09 $\frac{4}{7}$ 　　**10** $2\frac{2}{9}$
11 $1\frac{3}{32}$ 　　**12** $1\frac{1}{11}$
13 $1\frac{19}{56}$ 　　**14** $1\frac{19}{32}$
15 5 　　**16** 7
17 $\frac{5}{6}$, $\frac{2}{8}$, $3\frac{1}{3}$ 　　**18** $1\frac{1}{170}$배
19 4개 　　**20** 6개

18 분자는 2씩 커지고, 분모는 5씩 커지는 규칙이므로 17번째 분수는 $\frac{36}{85}$, 19번째 분수는 $\frac{40}{95}$입니다.

➡ $\frac{36}{85} \div \frac{40}{95} = \frac{\overset{9}{\cancel{36}}}{\underset{17}{\cancel{85}}} \times \frac{\overset{19}{\cancel{95}}}{\underset{10}{\cancel{40}}} = \frac{171}{170}$
$= 1\frac{1}{170}$(배)

19 $\frac{5}{6} \div \frac{\blacksquare}{42} = \frac{35}{42} \div \frac{\blacksquare}{42} = 35 \div \blacksquare$가 자연수이므로 ■ 안에는 35의 약수가 들어가야 합니다.
➡ 35의 약수 : 1, 5, 7, 35(4개)

개념 **03** (자연수)÷(분수)
알아보기
| 20쪽

01 2, 3, 12 　　**02** 3, 4, 12
03 5, 35, 8, 3 　　**04** 7, 63, 12, 3

05 6, 78, 15, 3   **06** 3, 3, $\dfrac{4}{3}$, 1$\dfrac{1}{3}$

07 11, 11, $\dfrac{15}{11}$, 1$\dfrac{4}{11}$

08 9, 9, $\dfrac{28}{9}$, 3$\dfrac{1}{9}$ **09** 14

10 16   **11** 6$\dfrac{2}{3}$

12 10$\dfrac{2}{3}$ **13** 25$\dfrac{2}{3}$

14 32$\dfrac{1}{2}$ **15** 2

16 1$\dfrac{1}{2}$ **17** 2$\dfrac{1}{7}$

18 1$\dfrac{23}{26}$

사고력 기르기
Step 1 | 22쪽

01 2   **02** 5
03 5   **04** 4
05 8   **06** 2
07 9   **08** 3
09 ㉡   **10** ㉢
11 ㉣   **12** 7, 8
13 11, 12, 13   **14** 6
15 5   **16** 4
17 4   **18** 6
19 4   **20** 11
21 22

09 (자연수)÷(분자)가 나누어떨어질 때
(자연수)÷(진분수)의 몫은 자연수가 됩니다.

12 4÷$\dfrac{2}{3}$<▨<3÷$\dfrac{1}{3}$ ➡ 6<▨<9이므로 ▨ 안
에 들어갈 수 있는 자연수는 7, 8입니다.

14 7÷$\dfrac{1}{▲}$<30÷$\dfrac{5}{8}$ ➡ 7×▲<48이므로 ▲ 안에
들어갈 수 있는 자연수 중 가장 큰 수는 6입니다.

---

18 2÷$\dfrac{1}{☆}$>4÷$\dfrac{2}{5}$ ➡ 2×☆>10이므로 ☆ 안에
들어갈 수 있는 자연수 중 가장 작은 자연수는 6
입니다.

사고력 기르기
Step 2 | 24쪽

01 6개   **02** 7개
03 5개   **04** 6개
05 풀이 참조   **06** 풀이 참조
07 7, 1$\dfrac{3}{5}$, 4$\dfrac{3}{8}$ / 1, 7$\dfrac{3}{5}$, $\dfrac{5}{38}$
08 9, 2$\dfrac{4}{7}$, 3$\dfrac{1}{2}$ / 2, 9$\dfrac{4}{7}$, $\dfrac{14}{67}$
09 8, 3$\dfrac{5}{6}$, 2$\dfrac{2}{23}$ / 3, 8$\dfrac{5}{6}$, $\dfrac{18}{53}$

01 3÷$\dfrac{▨}{12}$=3×$\dfrac{12}{▨}$=$\dfrac{36}{▨}$=(자연수)이므로 ▨가
될 수 있는 자연수는 36의 약수 중 12보다 작은
수입니다.
➡ 1, 2, 3, 4, 6, 9(6개)

05 ($\dfrac{3}{4}$ ▲ 2)+(5 ◎ $\dfrac{3}{5}$)

$=\left\{2÷\left(\dfrac{3}{4}+2\right)\right\}+\left\{5÷\left(5-\dfrac{3}{5}\right)\right\}$

$=\left(2÷2\dfrac{3}{4}\right)+\left(5÷4\dfrac{2}{5}\right)$

$=\left(2×\dfrac{4}{11}\right)+\left(5×\dfrac{5}{22}\right)$

$=\dfrac{8}{11}+\dfrac{25}{22}=1\dfrac{19}{22}$

06 (6 ◎ 1$\dfrac{1}{3}$)−(2$\dfrac{2}{5}$ ▲ 4)

$=\left\{6÷\left(6-1\dfrac{1}{3}\right)\right\}-\left\{4÷\left(2\dfrac{2}{5}+4\right)\right\}$

$=\left(6÷4\dfrac{2}{3}\right)-\left(4÷6\dfrac{2}{5}\right)$

$=\left(6×\dfrac{3}{14}\right)-\left(4×\dfrac{5}{32}\right)$

$=\dfrac{9}{7}-\dfrac{5}{8}=\dfrac{37}{56}$

실력 점검 | 26쪽

01 2, 3, 3

02 5, 15, 7, 1

03 7, 7, $\frac{12}{7}$, $1\frac{5}{7}$

04 10

05 20

06 $10\frac{1}{2}$

07 $10\frac{1}{2}$

08 $14\frac{2}{7}$

09 $6\frac{2}{3}$

10 $1\frac{3}{5}$

11 $3\frac{1}{3}$

12 $3\frac{1}{9}$

13 $4\frac{1}{6}$

14 8

15 3

16 16, 17

17 13, 14, 15

18 8

19 4

20 3개

21 4개

16 $10÷\frac{2}{3}<$ ■ $<8÷\frac{4}{9}$ ➡ $15<$ ■ <18이므로 ■ 안에 들어갈 수 있는 자연수는 16, 17입니다.

18 $4÷\frac{2}{\triangle}<15÷\frac{5}{6}$ ➡ $2×\triangle<18$이므로 $\triangle$ 안에 들어갈 수 있는 자연수 중 가장 큰 수는 8입니다.

20 $4÷\frac{★}{8}=\frac{32}{★}=($자연수$)$이므로 $★$이 될 수 있는 자연수는 32의 약수 중 8보다 작은 수입니다. ➡ 1, 2, 4(3개)

 개념 **04** (대분수)÷(진분수), (대분수)÷(대분수) 알아보기 | 28쪽

01 13, 39, 39, 4, 7

02 9, 54, 54, 2, 4

03 11, 7, 55, 56, $\frac{55}{56}$

04 5, 9, 20, 9, $\frac{20}{9}$, $2\frac{2}{9}$

05 5, 6, $\frac{35}{12}$, $2\frac{11}{12}$

06 7, 3, 2, 3, $\frac{14}{9}$, $1\frac{5}{9}$

07 7, 6, $\frac{35}{24}$, $1\frac{11}{24}$

08 33, 3, 99, 9, $2\frac{1}{4}$

09 $4\frac{1}{2}$

10 $1\frac{17}{35}$

11 $1\frac{13}{20}$

12 $1\frac{23}{27}$

13 $3\frac{11}{15}$

14 6

15 $3\frac{3}{5}$

16 $\frac{5}{8}$

17 $1\frac{3}{11}$

18 $1\frac{7}{8}$

사고력 기르기 | Step 1 | 30쪽

01 3

02 2

03 2

04 3

05 5

06 4

07 8

08 4

09 1

10 1

11 1

12 2

13 2

14 8

15 2

16 3

17 3개

18 6개

19 3개

20 4개

21 $5\frac{3}{4}$, $1\frac{2}{5}$, $4\frac{3}{28}$

22 $8\frac{5}{6}$, $2\frac{4}{8}$, $3\frac{8}{15}$

17 $2\frac{1}{4}÷\frac{■}{12}=\frac{9}{4}÷\frac{■}{12}=\frac{27}{12}÷\frac{■}{12}=27÷$ ■ 가 자연수이므로 ■ 안에는 12보다 작은 27의 약수가 들어가야 합니다.

21 가장 큰 대분수 : $5\dfrac{3}{4}$, 가장 작은 대분수 : $1\dfrac{2}{5}$

➡ $5\dfrac{3}{4} \div 1\dfrac{2}{5} = 4\dfrac{3}{28}$

13	5	14	3
15	2	16	7
17	5개	18	4개
19	1, 5 / 3, 6 / 5, 7 / 7, 8		

사고력 기르기   Step 2 | 32쪽

01 1, 3 / 3, 4　　02 2, 3 / 5, 4

03 1, 5 / 3, 6 / 5, 7 / 7, 8

04 $4\dfrac{2}{3}$, $\dfrac{1}{5}$, $23\dfrac{1}{3}$ / $1\dfrac{2}{5}$, $\dfrac{3}{4}$, $1\dfrac{13}{15}$

05 $5\dfrac{3}{4}$, $\dfrac{2}{7}$, $20\dfrac{1}{8}$ / $2\dfrac{3}{7}$, $\dfrac{4}{5}$, $3\dfrac{1}{28}$

06 $7\dfrac{5}{6}$, $\dfrac{3}{9}$, $23\dfrac{1}{2}$ / $3\dfrac{5}{9}$, $\dfrac{6}{7}$, $4\dfrac{4}{27}$

01 $1\dfrac{\square}{5} \div \dfrac{\triangle}{9} = \dfrac{(5+\square)}{5} \times \dfrac{9}{\triangle} = \dfrac{18}{5}$ 이므로

$5+\square$는 $\triangle$의 2배입니다.

따라서 $\square=1$일 때 $\triangle=3$, $\square=3$일 때 $\triangle=4$입니다.

(소수 한 자리 수)÷(소수 한 자리 수) 알아보기   개념 05   36쪽

01	13, 13	02	12, 12
03	15, 15	04	27, 3, 27, 3, 9
05	248, 8, 248, 8, 31		
06	544, 32, 544, 32, 17		
07	21 / 8 / 4 / 4	08	12 / 8 / 16 / 16
09	12 / 11 / 22 / 22		
10	22 / 68 / 68 / 68		
11	8	12	9
13	13	14	23
15	18	16	9
17	7	18	9
19	32	20	12
21	13	22	29

실력 점검   34쪽

01 7, 35, 8, $\dfrac{35}{8}$, $4\dfrac{3}{8}$

02 4, 4, 4, 16, $1\dfrac{7}{9}$

03 17, 3, 17, 9, $\dfrac{17}{9}$, $1\dfrac{8}{9}$

04 36, 12, 36, 12, 15, $2\dfrac{1}{7}$

05 $10\dfrac{2}{9}$　　06 $1\dfrac{5}{6}$

07 $3\dfrac{1}{18}$　　08 $1\dfrac{13}{14}$

09 $2\dfrac{2}{27}$　　10 $2\dfrac{1}{7}$

11 $6\dfrac{33}{50}$　　12 $1\dfrac{3}{8}$

사고력 기르기   Step 1 | 38쪽

01	1, 2, 3	02	1, 2
03	1, 2	04	1, 2, 3
05	1, 2, 3, 4	06	1, 2
07	2, 5		
08	1, 2 / 2, 4 / 3, 6 / 4, 8		
09	2 / 9 / 9 / 1, 8 / 8		
10	2 / 0, 1 / 1 / 5, 6 / 5, 6		
11	3, 7 / 8, 8, 8 / 7 / 1, 6, 8		
12	1, 8 / 7, 6 / 1 / 3, 6 / 1, 3		
13	1 / 7, 9 / 4, 7 / 4, 3 / 4, 2, 3		
14	2 / 6, 1, 4, 1 / 1, 3 / 0, 1 / 2, 1		

사고력 기르기

01 6, 6 / 1, 1 / 6, 6 / 6, 6 / 6, 6 /
3, 3 / 2, 2 / 6, 6 / 6, 6 / 6, 6 /
2, 2 / 3, 3 / 6, 6 / 6, 6 / 6, 6 /
1, 1 / 6, 6 / 6, 6 / 6, 6 / 6, 6

02 8, 8 / 1, 1 / 8, 8 / 8, 8 / 8, 8 /
4, 4 / 2, 2 / 8, 8 / 8, 8 / 8, 8 /
2, 2 / 4, 4 / 8, 8 / 8, 8 / 8, 8 /
1, 1 / 8, 8 / 8, 8 / 8, 8 / 8, 8

03 (1) 2, 4, 6, 0, 3   (2) 2, 6, 4, 0, 3
(3) 4, 2, 6, 0, 3   (4) 4, 6, 2, 0, 3
(5) 6, 2, 4, 0, 3   (6) 6, 4, 2, 0, 3

04 (1) 4, 6, 8, 0, 9   (2) 4, 8, 6, 0, 9
(3) 6, 4, 8, 0, 9   (4) 6, 8, 4, 0, 9
(5) 8, 4, 6, 0, 9   (6) 8, 6, 4, 0, 9

실력 점검

01 12, 12
02 828, 36, 828, 36, 23
03 24 / 34 / 68 / 68
04 18 / 52 / 416 / 416
05 12   **06** 8
07 41   **08** 8
09 9   **10** 13
11 14   **12** 15
13 25   **14** 1, 2, 3
15 1, 2, 3, 4, 5
16 9, 9 / 1, 1 / 9, 9 / 9, 9 / 9, 9 /
3, 3 / 3, 3 / 9, 9 / 9, 9 / 9, 9 /
1, 1 / 9, 9 / 9, 9 / 9, 9 / 9, 9

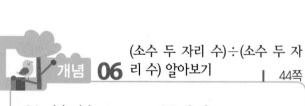

개념 06 (소수 두 자리 수)÷(소수 두 자리 수) 알아보기

01 14, 14   **02** 8, 8
03 175, 25, 175, 25, 7
04 492, 123, 492, 123, 4

05 648, 216, 648, 216, 3
06 14, 72, 288, 288
07 23, 462, 693, 693
08 6   **09** 17
10 6   **11** 18
12 11   **13** 22
14 9   **15** 16
16 13   **17** 8
18 27   **19** 42

사고력 기르기

01 4   **02** 8
03 11   **04** 16
05 6   **06** 9
07 18   **08** 42
09 7   **10** 5
11 12   **12** 29
13 17   **14** 39
15 41   **16** 93
17 3, 8   **18** 7, 8
19 8, 5   **20** 6, 8
21 4, 5   **22** 1, 6
23 4, 8   **24** 4, 1, 8
25 9, 8, 6, 0, 3, 4, 29
26 9, 8, 4, 1, 2, 3, 8

사고력 기르기

01 2 / 2, 2 / 4, 4, 8 / 4, 8
02 2 / 8, 7 / 7 / 1, 1, 4 / 1, 1, 4
03 3 / 5, 4, 9, 2 / 4 / 3, 1, 2 / 3, 1, 2
04 1 / 2, 6, 2 / 5, 6 / 2, 6, 3 / 2, 6, 3
05 1 / 4, 6, 6, 8, 8 / 4 / 1, 4, 2 /
1, 4, 2, 8
06 6 / 2, 7, 1, 5 / 0, 8 / 1, 6, 3, 2 /
1, 6, 3, 2

07 2, 1, 2, 1, 3, 3 / 4, 2, 4, 2, 6, 6 /
6, 3, 6, 3, 9, 9

08 5, 4, 5, 4, 6, 6 / 6, 3, 6, 3, 7, 7 /
7, 2, 7, 2, 8, 9 / 8, 1, 8, 1, 9, 9

09 2, 7, 5 / 5, 8, 5 / 8, 9, 5

10 3, 3, 4 / 7, 4, 4 / 1, 2, 9 / 5, 3, 9 / 9,
4, 9

실력 점검 | 50쪽

01 7, 7
02 972, 324, 972, 324, 3
03 14 / 386 / 1544 / 1544
04 13 / 492 / 1476 / 1476
05 18   06 23
07 9   08 25
09 4   10 31
11 8   12 38
13 5, 7   14 4, 5
15 6, 8   16 2, 2, 2
17 8, 6, 4, 0, 2, 4, 36
18 1, 3, 8 / 4, 4, 8 / 7, 5, 8

개념 07 자릿수가 다른 소수의 나눗셈 알아보기 | 52쪽

01 1.3, 1.3   02 15, 15
03 75.6, 42, 75.6, 42, 1.8
04 222.3, 57, 222.3, 57, 3.9
05 9660, 644, 9660, 644, 15
06 2.5 / 26 / 65 / 65
07 6.8 / 84 / 112 / 112
08 1.7   09 4.2
10 1.8   11 3.2
12 12.3   13 11.8
14 1.8   15 1.1
16 3.9   17 2.1
18 9.3   19 11.2

사고력 기르기 | Step 1 | 54쪽

01 7.4   02 0.8
03 1.2   04 3.4
05 5.7   06 4.7
07 8.2   08 11.3
09 0.7   10 0.9
11 0.15   12 0.38
13 2 / 0.2 / 2 / 1.4 / 1.4
14 4 / 9.3 / 6 / 2.7 / 2.7
15 3 / 2.4 / 5 / 8.4 / 8.4
16 3 / 4, 1.2 / 6 / 1.8 / 1.8
17 6 / 6.6 / 1.4 / 3.7.2 / 3.7.2
18 2 / 2.2, 1 / 6.4 / 5.7.4 / 5.7.4

사고력 기르기 | Step 2 | 56쪽

01 1.3 / 0.8 / 2.4 / 2.4 /
1.8 / 4.8 / 6.4 / 6.4

02 2.1 / 2.0 / 2.1.0 / 1.0.5 / 1.0.5
/ 2.3.4.1 / 2.1.0.3, 1.5 / 3, 1.5
/ 2.5.6.2 / 2, 1.0, 5, 2.5 / 5, 2.5
/ 2.7.8.3 / 2, 1.0, 7, 3.5 / 7, 3.5

03 2.4.5 / 1.3   04 4.5.3 / 1.2
05 2.4.3 / 1.5   06 5.3.4 / 1.2
07 2, 1, 2, 1, 2 / 4, 2, 4, 2, 4 /
6, 3, 6, 3, 6 / 8, 4, 8, 4, 8

실력 점검 | 58쪽

01 25.2, 18, 25.2, 18, 1.4
02 4550, 325, 4550, 325, 14
03 1.7 / 34 / 238 / 238
04 2.5 / 42 / 105 / 105
05 4.8   06 5.9
07 3.4   08 5.1

09 5.3 **10** 4.1
11 6.4 **12** 7.5
13 5.3 **14** 1.9
15 0.6 **16** 0.73
17 6 / 6, 3, 0 / 1, 2 / 3, 8, 4 / 3, 8, 4
18 9 / 4, 2 / 8, 4 / 3, 8 / 3, 7, 8
19 4, 5, 3 / 2, 1 **20** 4, 2, 5 / 3, 1

15 26.88÷(5+♡)=4.8에서
5+♡=26.88÷4.8=5.6이므로 ♡에 들어갈
수 있는 수는 **0.6**입니다.

13 2 / 1, 5, 4, 0, 0 / 5 / 7, 0, 0 / 7, 0, 0
14 3 / 2, 5, 8, 0, 0 / 7 / 1, 3, 5, 0 / 1, 3, 5, 0

06 ㉠=7.5, ㉡=0.75이므로 ㉠은 ㉡의 **10배**입니다.

07 ㉠=1.2, ㉡=0.12이므로 ㉠은 ㉡의 **10배**입니다.

08 ㉠=27.5, ㉡=0.275이므로 ㉠은 ㉡의 **100배**입니다.

개념 **08** 알아보기
(자연수)÷(소수) | 60쪽

01 5, 5 **02** 80, 80
03 420, 15, 420, 15, 28
04 180, 45, 180, 45, 4
05 25 / 12 / 30 / 30
06 16 / 125 / 750 / 750
07 5 **08** 5
09 25 **10** 26
11 12 **12** 24
13 25 **14** 18
15 4 **16** 50
17 8 **18** 36

사고력 기르기
Step 1 | 62쪽

01 0.8, 8 **02** 1.5, 15
03 2.25, 225 **04** 3.75, 375
05 7.2, 72 **06** 10배
07 10배 **08** 100배
09 5 / 1, 6, 0 / 4 / 8, 0 / 8, 0
10 2 / 6, 8, 0 / 6 / 3, 0 / 1, 3, 0
11 7 / 2, 9, 0 / 4 / 6, 0 / 6, 0
12 3 / 5, 0, 0 / 7, 5 / 5, 0 / 5, 0

사고력 기르기
Step 2 | 64쪽

01 1, 6, 2 / 1, 7, 4 / 1, 8, 6 / 1, 9, 8
02 1, 7, 2, 5 / 1, 9, 7, 5
03 1, 7, 1, 2, 5 / 1, 9, 3, 7, 5 / 2, 1, 6, 2, 5 / 2, 3, 8, 7, 5
04 1, 0, 2, 4 / 2, 0, 2, 8
3, 0, 7, 4 / 6, 0, 7, 8
5, 1, 2, 4 / 7, 1, 7, 4
9, 2, 2, 4
05 5, 0, 6, 8 **06** 3, 5, 8, 4
07 5, 1, 6, 8 **08** 6, 1, 7, 8
09 5, 6, 2, 4

실력 점검
 | 66쪽

01 560, 16, 560, 16, 35
02 7600, 475, 7600, 475, 16
03 25 / 68 / 170 / 170
04 24 / 450 / 900 / 900
05 14 **06** 25
07 20 **08** 12
09 2 **10** 54

11 32   12 28
13 4.5, 45   14 4.75, 475
15 4, 1, 2 / 4, 2, 4 / 4, 3, 6 / 4, 4, 8
16 3, 3, 1, 2, 5 / 3, 5, 3, 7, 5 / 3, 7, 6,
    2, 5 / 3, 9, 8, 7, 5
17 5, 4, 6, 8 또는 4, 6, 5, 8

15 □=(5.4−0.9)÷3=1.5

개념 09 몫을 반올림하여 나타내기, 몫과 나머지 구하기 | 68쪽

01 21   02 3
03 53   04 3
05 28.3   06 4.5
07 5.8   08 7.2
09 48.8   10 24.2
11 8.17   12 8.17
13 4.73   14 3.33
15 77.78   16 14.66
17 5 / 1.3   18 9 / 5.17
19 7 / 0.64   20 8 / 1.94
21 16 / 0.2   22 17 / 3.84

사고력 기르기 | Step 1 | 70쪽

01 0.04   02 0.04
03 0.02   04 0.05
05 0.03   06 0.01
07 7, 8   08 3, 4, 5
09 0, 1   10 4, 5, 6
11 5.5   12 18.3
13 27.98   14 65.04
15 1.5   16 2.7
17 5.7   18 6.2
19 9, 8, 5, 1, 3, 7.5, 0.1
20 7, 6, 5, 2, 3, 3.3, 0.06

11 □=1.2×4+0.7=5.5

사고력 기르기 | Step 2 | 72쪽

01 5   02 1
03 9   04 5
05 5   06 8
07 5   08 8, 0.3 / 9, 1.3
09 5, 0.1 / 6, 1.1 / 7, 2.1
10 3, 0.08 / 4, 0.18 / 5, 0.28 / 6, 0.38
    / 7, 0.48 / 8, 0.58 / 9, 0.68
11 0.28   12 0.86

04 21.3÷3.3=6.4545…이므로 소수점 아래 숫
    자는 4, 5가 반복됩니다.
    따라서 50째 자리에 해당하는 숫자는 5입니다.

11 21.8÷4.6=4.7…0.18이므로 나누어지는 수
    는 4.6×4.8=22.08이 되어야 합니다.
    따라서 나누어지는 수에 22.08−21.8=0.28
    을 더해야 합니다.

실력 점검 | 74쪽

01 15   02 25
03 11.3   04 22.1
05 5.5   06 10.1
07 15.23   08 27.26
09 3.96   10 12.61
11 19 / 0.74   12 12 / 0.385
13 0.04   14 0.01
15 0.01   16 0.04
17 13.8   18 1.8
19 0.59   20 3.031

개념 10 간단한 자연수의 비로 나타내기 | 76쪽

01 10, 10, 24, 17   02 24, 24, 8, 3
03 8, 8, 6, 5
04 6, 13, 6, 5, 13, 5, 6, 13
05 7, 9   06 6, 5
07 7, 6   08 8, 11
09 20, 31   10 7, 1
11 21, 10   12 5, 6
13 5, 6   14 26, 21
15 3, 4   16 54, 35
17 4, 5   18 17, 11
19 5, 4   20 11, 12
21 5, 3   22 6, 13
23 6, 1   24 7, 4

사고력 기르기 | Step 1 | 78쪽

01 7   02 49
03 15   04 28
05 54   06 1.2
07 7   08 12
09 6, 5   10 5, 4
11 3, 4   12 11, 8

사고력 기르기 | Step 2 | 80쪽

01 15, 8.4   02 6, 22.5
03 5, 7.2   04 3, 1
05 5, 2.8   06 3, 9
07 4 : 5   08 8 : 7
09 9 : 7   10 8 : 5
11 19   12 42
13 22   14 21

실력 점검 | 82쪽

01 10, 10, 24, 13   02 20, 20, 5, 12
03 19, 19, 4, 3   04 40, 40, 15, 28
05 8, 9   06 1, 2
07 36, 35   08 17, 14
09 4, 7   10 5, 4
11 35, 24   12 3, 4
13 35   14 5.1
15 4   16 3
17 5.6, 4   18 1, 46.2
19 234   20 324

개념 11 비례식 알아보기 | 84쪽

01 3, 20 / 4, 15   02 25, 3 / 15, 5
03 7, 77 / 11, 49   04 52, 3 / 39, 4
05 13, 25 / 5, 65   06 27, 14 / 42, 9
07 6   08 3
09 15   10 11
11 9   12 3
13 6   14 5
15 7   16 3
17 8   18 13
19 8   20 3
21 3   22 8

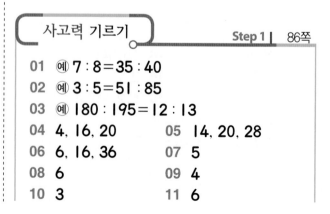

사고력 기르기 | Step 1 | 86쪽

01 예 7 : 8 = 35 : 40
02 예 3 : 5 = 51 : 85
03 예 180 : 195 = 12 : 13
04 4, 16, 20   05 14, 20, 28
06 6, 16, 36   07 5
08 6   09 4
10 3   11 6

12	20	13	12
14	35	15	5.5

13 ■=35×9÷45=7, ▲=8×15÷24=5
이므로 ■+▲=7+5=12입니다.

14 ■=5×33÷15=11, ▲=18×8÷6=24
이므로 ■+▲=11+24=35입니다.

15 ■=7×2.8÷4.9=4,

▲=15×$\frac{2}{5}$÷4=1.5이므로

■+▲=4+1.5=5.5입니다.

사고력 기르기 **Step 2 |** 88쪽

01	7	02	8
03	9	04	40
05	35 L	06	32 L

07 3, 5, 9, 15 / 9, 15, 3, 5
    5, 3, 15, 9 / 15, 9, 5, 3
    3, 9, 5, 15 / 5, 15, 3, 9
    9, 3, 15, 5 / 15, 5, 9, 3

08 7, 9, 28, 36 / 28, 36, 7, 9
    9, 7, 36, 28 / 36, 28, 9, 7
    7, 28, 9, 36 / 9, 36, 7, 28
    28, 7, 36, 9 / 36, 9, 28, 7

01 ■=(1×35)÷5=7

02 ■=(2×12)÷3=8

03 ■=(12×6)÷8=9

04 ■=(16×10)÷4=40

05 (㉯ 그릇의 들이)=(16×$\frac{1}{4}$)÷$\frac{1}{5}$=20(L),

(㉰ 그릇의 들이)=(20×7)÷4=35(L)

06 (㉯ 그릇의 늘이)=(70×4)÷7=40(L),

(㉮ 그릇의 들이)=(40×$\frac{1}{5}$)÷$\frac{1}{4}$=32(L)

실력 점검 **| 90쪽**

01	5, 36 / 9, 20	02	6, 42 / 7, 36
03	22, 13 / 26, 11	04	42, 6 / 84, 3
05	5	06	56
07	14	08	56
09	3	10	8
11	12	12	5

13 ㉲ 4:5=48:60

14 ㉲ 117:182=9:14

15	9	16	4
17	2	18	7
19	24 L	20	42 L

19 (㉯ 그릇의 들이)=(28×4)÷7=16(L),
   (㉰ 그릇의 들이)=(16×4.5)÷3=24(L)

20 (㉯ 그릇의 들이)=(36×3)÷4.5=24(L),
   (㉮ 그릇의 들이)=(24×7)÷4=42(L)

개념 12 비례배분 알아보기 **| 92쪽**

01	400 / 500	02	7, 240 / 7, 560
03	4, 320 / 3, 240		
04	5, 3, 200 / 3, 5, 120		
05	42, 28	06	56, 42
07	51, 85	08	200, 250
09	56, 48	10	96, 144
11	160, 120	12	66, 77

사고력 기르기 **Step 1 |** 94쪽

01	3	02	3
03	5	04	60, 100
05	105, 135		

정답 및 해설 **129**

06 (1) 4 : 5　　　(2) 20, 25
07 30, 45　　　**08** 66, 55
09 80, 84

01 $9 : 15 = (9 \div 3) : (15 \div 3) = 3 : 5$이므로
24를 3 : 5로 비례배분한 것입니다.

02 $24 : 18 = (24 \div 6) : (18 \div 6) = 4 : 3$

03 $20 : 28 = (20 \div 4) : (28 \div 4) = 5 : 7$

06 (1) ▨ : ▲ $= \dfrac{1}{5} : \dfrac{1}{4} = 4 : 5$

　　(2) ▨ $= 45 \times \dfrac{4}{9} = 20$, ▲ $= 45 \times \dfrac{5}{9} = 25$

---

01 7, 75 / 5, 105　　**02** 7, 210 / 9, 270
03 32, 56　　　**04** 70, 28
05 88, 40　　　**06** 192, 168
07 5　　　　**08** 32, 28
09 125, 75　　　**10** 648 cm²

10 (가로)+(세로)$= 102 \div 2 = 51$(cm)이므로

　　(가로)$= 51 \times \dfrac{9}{17} = 27$(cm),

　　(세로)$= 51 \times \dfrac{8}{17} = 24$(cm)입니다.

　　따라서 (넓이)$= 27 \times 24 = 648$(cm²)입니다.

---

01 8, 12, 96　　　**02** 14, 6, 84
03 12, 18, 60　　　**04** 9, 24, 66
05 (1) 5 : 4　　　(2) 25개, 20개
　　(3) 3250원
06 (1) 9 : 1　　　(2) 54개, 6개
　　(3) 8400원

05 (1) $\dfrac{5}{50} : \dfrac{8}{100} = \dfrac{10}{100} : \dfrac{8}{100} = 10 : 8$
　　　　　　　　　　　$= 5 : 4$

　　(2) 50원 : $45 \times \dfrac{5}{9} = 25$(개)

　　　 100원 : $45 \times \dfrac{4}{9} = 20$(개)

　　(3) $50 \times 25 + 100 \times 20 = 3250$(원)

06 (1) $\dfrac{9}{100} : \dfrac{5}{500} = 9 : 1$

　　(2) 100원 : $60 \times \dfrac{9}{10} = 54$(개)

　　　 500원 : $60 \times \dfrac{1}{10} = 6$(개)

　　(3) $100 \times 54 + 500 \times 6 = 8400$(원)

개념 13 원주 구하기　　| 100쪽

01 8, 24　　　**02** 6, 2, 37.2
03 7, 2, 43.96　　　**04** 31 cm
05 18.6 cm　　　**06** 43.4 cm
07 24.8 cm　　　**08** 34.1 cm
09 55.8 cm　　　**10** 75.36 cm
11 94.2 cm

---

01 12, 6　　　**02** 8, 3
03 8, 4　　　**04** 7, 3.1
05 18, 9　　　**06** 10, 3.14
07 $1\dfrac{1}{3}$배　　　**08** $\dfrac{5}{6}$배
09 $1\dfrac{1}{2}$배　　　**10** 10 cm
11 15 cm　　　**12** 20 cm
13 30 cm　　　**14** 18 cm
15 28 cm

---

07 $\dfrac{8 \times 2}{12} = \dfrac{4}{3} = 1\dfrac{1}{3}$(배)

08 $\dfrac{10}{6 \times 2} = \dfrac{10}{12} = \dfrac{5}{6}$(배)

09 $\dfrac{15 \times 2}{20} = \dfrac{30}{20} = 1\dfrac{1}{2}$(배)

10 (지름)$=31.4 \div 3.14 = 10$(cm)이므로 상자의 밑면의 한 변의 길이는 10 cm보다 커야 합니다.

사고력 기르기　　　　　Step 2 | 104쪽

01 25.5 cm	**02** 37.2 cm
03 74.4 cm	**04** 40.8 cm
05 71.4 cm	**06** 25.12 cm
07 61.68 cm	**08** 24.99 cm
09 105 cm	**10** 167.4 cm
11 219.8 cm	

01 $(5 \times 2 \times 3.1 \times \dfrac{1}{2}) + (5 \times 2) = 25.5$(cm)

02 $(2 \times 2 + 4 \times 2) \times 3.1 = 37.2$(cm)

03 $(6 \times 2 + 3 \times 2 \times 2) \times 3.1$
$= 74.4$(cm)

04 $(4 \times 2 \times 3.1) + (4 \times 4) = 40.8$(cm)

05 $(10 \times 3.14) + (10 \times 4) = 71.4$(cm)

06 $8 \times 3.14 = 25.12$(cm)

07 $(12 \times 3.14) + (12 \times 2) = 61.68$(cm)

08 $(7 \times 2 \times 3.14 \times \dfrac{1}{4}) + (7 \times 2) = 24.99$(cm)

09 $7 \times 2 \times 3 \times (3 - \dfrac{180°}{360°})$
$= 105$(cm)

10 $9 \times 2 \times 3.1 \times (4 - 1)$
$= 167.4$(cm)

---

11 $10 \times 2 \times 3.14 \times (5 - \dfrac{540°}{360°})$
$= 219.8$(cm)

실력 점검　　　　　　　　106쪽

01 4, 2, 24	**02** 34.1 cm
03 40.3 cm	**04** 49.6 cm
05 55.8 cm	**06** 94.2 cm
07 81.64 cm	**08** 24, 12
09 $1\dfrac{3}{7}$ 배	**10** 25 cm
11 39.27 cm	**12** 47.1 cm

09 $\dfrac{10 \times 2}{14} = \dfrac{10}{7} = 1\dfrac{3}{7}$(배)

10 $77.5 \div 3.1 = 25$(cm)

11 $(11 \times 2 \times 3.14 \times \dfrac{1}{4}) + (11 \times 2)$
$= 39.27$(cm)

12 $15 \times 2 \times 3.14 \times \dfrac{1}{4} \times 2 = 47.1$(cm)

개념 14 원의 넓이 구하기　　　108쪽

01 5, 5, 75	**02** 7, 7, 151.9
03 6, 6, 113.04	**04** 27.9 cm²
05 49.6 cm²	**06** 111.6 cm²
07 151.9 cm²	**08** 310 cm²
09 251.1 cm²	**10** 379.94 cm²
11 200.96 cm²	

01 24, 12   02 9, 3

03 12, 6   04 10, 3.1

05 16, 8   06 15, 3.14

07 $1\frac{7}{9}$배   08 $\frac{25}{49}$배

09 $\frac{16}{25}$배   10 $78.5\,cm^2$

11 $153.86\,cm^2$ 12 $254.34\,cm^2$

07 $\dfrac{4\times 4}{3\times 3}=\dfrac{16}{9}=1\dfrac{7}{9}$(배)

08 $\dfrac{5\times 5}{7\times 7}=\dfrac{25}{49}$(배)

09 $\dfrac{8\times 8}{10\times 10}=\dfrac{16}{25}$(배)

10 (원의 지름)$=40\div 4=10(cm)$이므로
(넓이)$=5\times 5\times 3.14=78.5(cm^2)$입니다.

01 $12.4\,cm^2$ 02 $83.7\,cm^2$

03 $24.8\,cm^2$ 04 $99.2\,cm^2$

05 $7.74\,cm^2$ 06 $13.76\,cm^2$

07 $28.5\,cm^2$ 08 $82.08\,cm^2$

09 $187.5\,cm^2$ 10 $1339.2\,cm^2$

11 $1099\,cm^2$

01 $4\times 4\times 3.1\times \dfrac{1}{4}=12.4(cm^2)$

02 $(6\times 6-3\times 3)\times 3.1=83.7(cm^2)$

03 $4\times 4\times 3.1\times \dfrac{1}{2}=24.8(cm^2)$

04 $(8\times 8-4\times 4\times 2)\times 3.1$
$=99.2(cm^2)$

05 $(6\times 6)-(6\times 6\times 3.14\times \dfrac{1}{4})=7.74(cm^2)$

06 $(8\times 8)-(4\times 4\times 3.14)=13.76(cm^2)$

07 $(5\times 5\times 3.14)-(10\times 10\div 2)$
$=28.5(cm^2)$

08 $(6\times 6\times 3.14)$
$\quad-\{(12\times 12)-(6\times 6\times 3.14)\}$
$=113.04-30.96=82.08(cm^2)$

09 $5\times 5\times 3\times \left(3-\dfrac{180°}{360°}\right)$
$=187.5(cm^2)$

10 $12\times 12\times 3.1\times (4-1)$
$=1339.2(cm^2)$

11 $10\times 10\times 3.14\times \left(5-\dfrac{540°}{360°}\right)$
$=1099(cm^2)$

01 9, 9, 243   02 $77.5\,cm^2$

03 $375.1\,cm^2$ 04 $310\,cm^2$

05 $111.6\,cm^2$ 06 $706.5\,cm^2$

07 $615.44\,cm^2$ 08 26, 13

09 4배   10 $452.16\,cm^2$

11 $99.2\,cm^2$ 12 $245\,cm^2$

09 $\dfrac{8\times 8}{4\times 4}=\dfrac{64}{16}=4$(배)

10 (원의 지름)$=96\div 4=24(cm)$이므로
(넓이)$=12\times 12\times 3.14=452.16(cm^2)$입니다.

11 $(8\times 8-4\times 4\times 2)\times 3.1$
$=99.2(cm^2)$

12 $(20\times 20)-(5\times 5\times 3.1\times 2)$
$=400-155=245(cm^2)$